Moderno e Brasileiro

LAURO CAVALCANTI

Moderno e Brasileiro

A história de uma nova linguagem na arquitetura (1930-60)

Inclui mais de 130 fotos e desenhos

ZAHAR

Para meus pais, Leny e Guido, e Augusto, amigo e filho.

Jorge Zahar Editor Ltda.
rua Marquês de S. Vicente 99 – 1º
22451-041 Rio de Janeiro, RJ
tel (21) 2529-4750 | fax (21) 2529-4787
editora@zahar.com.br | www.zahar.com.br

Projeto gráfico e composição: Mari Taboada
Capa: Miriam Lerner
Foto da capa: Batistério da igreja da Pampulha (Cristiano Mascaro)

Créditos das ilustrações:
Na listagem a seguir, os números referem-se às páginas; as letras especificam a imagem, quando necessário. *Arquivo Geral da Cidade*/Marco Antonio Belandi: p.8, 11a, 23, 24, 25, 26, 27, 28, 29b, 61b, 64, 74, 84, 90, 91, 224; *Arquivo Ingeborg Ten Haeff*: 143; *Arquivo Iphan*: 22b, 29a, 36, 59a, 60, 61a, 116, 117, 118, 119a; *Arquivo Iphan*/Marcel Gautherot: 32, 55, 108; *Arquivo Nacional*: 22a, 37, 53, 72, 73, 75, 80a, 89, 92, 119b, 128, 186, 192a, 206, 213; *Casa Lucio Costa*: 132, 139, 146, 151b, 172, 178a, 214a; *Casa Lucio Costa*/Maria Elisa Costa: 178b, 179, 180, 181, 182, 183; *Corbis*/Genevieve Naylor: 156; *CPDOC/FGV*: 11b, 18, 50, 54, 59b, 101 (Epaminondas), 107, 151a, 151c, 152, 153, 154, 155, 159a, 164; Felipe Ellena Ferreira: 96; *Fundação Oscar Niemeyer*: 192b, 193, 203b; Lauro Cavalcanti: 80b, 80c, 81, 122, 142, 201b, 203a, 210, 214b, 215, 218, 221; *Scala/Moma*: 169a. As imagens das páginas 196 e 201a foram reproduzidas do livro *Arquitetura moderna no Brasil*, de Henrique Mindlin (Aeroplano/Iphan, 1999).

Todos os esforços foram feitos para identificar as fontes das imagens aqui reproduzidas. Estamos prontos a corrigir eventuais falhas ou omissões em futuras edições.

CIP-Brasil. Catalogação-na-fonte
Sindicato Nacional dos Editores de Livros, RJ.

Cavalcanti, Lauro Pereira, 1954-
C366m Moderno e brasileiro: a história de uma nova linguagem na arquitetura, (1930-60) / Lauro Cavalcanti. — Rio de Janeiro: Jorge Zahar Ed., 2006
il.

"Inclui mais de 130 fotos e desenhos"
Inclui bibliografia e cronologia
ISBN 978-85-7110-940-7

1. Modernismo (Arte) – Brasil. 2. Arquitetura – Século XX – Brasil. 3. Arquitetura moderna – Século XX - Brasil. I. Título.

CDD 720.981
06-2567 CDU 72.036(81)

Sumário

Introdução · *9*

[PARTE I]

Ministérios, o ministério · *17*

1 Panorama geral · *19*
2 Ministério da Educação e Saúde · *33*
3 Ministério da Fazenda · *65*
4 Ministério do Trabalho · *85*

[PARTE II]

Construindo o passado · *95*

5 Correntes arquitetônicas e patrimônio · *97*
6 O Grande Hotel de Ouro Preto · *109*

[PARTE III]

Casas para o povo · *121*

7 O percurso do estético para o ético · *123*
8 Arquitetos, intelectuais e camadas populares dos anos 30 · *129*
9 Algumas obras pioneiras · *133*

[PARTE IV]

O bom vizinho constrói: relações arquitetônicas entre Brasil e Estados Unidos nas décadas de 1930 e 1940 · *145*

10 A Política da Boa Vizinhança · *147*
11 A arquitetura do bom vizinho · *165*
12 O Pavilhão do Brasil na Feira de Nova York · *173*
13 A construção da sede da ONU · *187*

[PARTE V]
Pampulha e Brasília: a liberdade da estrutura na invenção de uma linguagem singular · *123*

14 O Conjunto da Pampulha · *197*
15 Brasília, a construção de um exemplo · *207*
16 Urbanismo, arquitetura, paisagismo e arte · *211*
17 Ilusões desfeitas · *219*

Epílogo · 225

Cronologia · 233
Bibliografia · 238
Agradecimentos · 242
Índice onomástico · 244
Sobre o autor · 247

"A primeira escola, o que se pode chamar legitimamente de 'escola' de arquitetura moderna no Brasil, foi a do Rio, com Lucio Costa à frente, e ainda inigualada até hoje."

MÁRIO DE ANDRADE, artigo de 1944 sobre a exposição "Brazil Builds", apud *Depoimento de uma geração*, de Alberto Xavier (2003)

"No Rio de Janeiro, depois de construído o marco principal do movimento moderno, o edifício do Ministério da Educação e Saúde (1936-43), fez-se o do Ministério da Fazenda (1939-43), com o pórtico de estilo neogrego. ... Eram dois mundos que se digladiavam com a agravante de que os edifícios estavam dispostos juntos um do outro e eram de igual importância, ambos de grande monumentalidade."

PAULO F. SANTOS, "Interação do passado e presente no processo histórico da arquitetura e do urbanismo", 1986

Introdução

A arquitetura moderna brasileira do final dos anos 30 e início dos 40 é, sem dúvida, um dos pontos altos de nossa arte no século passado. *Moderno e brasileiro*, cujo embrião inicial constituiu minha tese de doutorado em antropologia social, delineia o retrato desse fascinante momento em que se produziu a revolução estética na construção em nosso país. São enfocados os principais personagens envolvidos – arquitetos, autoridades, artistas e intelectuais das várias correntes – e examinadas as condições sociológicas para o surgimento de novos cânones estéticos. Esse processo de transformação que provocará uma revolução estética começa com a consultoria de Le Corbusier no prédio do Ministério da Educação e Saúde (1936), é difundida através de ações da Política da Boa Vizinhança (1940-45), chega à maioridade por ocasião do projeto da Pampulha (1942-43) e atinge seu ápice na construção de Brasília (1956-60), fechando o ciclo que se convencionou chamar de Alto Modernismo na arquitetura brasileira. Neste livro, a origem de formas novas é correlacionada, ainda, à formação de um campo (no sentido estabelecido em Bourdieu: 1971) da arquitetura.

A arquitetura, tendo como matéria formas duráveis, apresenta de modo concreto em nossas cidades a produção da estética dominante, ou aquela por ela selecionada. O reconhecimento desse domínio é colhido no cotidiano das pessoas, que percebem as suas formas através de princípios de internalização, tendendo a naturalizá-las como partes de uma paisagem urbana preexistente: prédios, estilos, cores e texturas são incorporados como formas já dadas, sem questionamento de seus mecanismos de implantação. O estudo sociológico da constituição do campo arquitetônico nacional possibilita um maior entendimento de frações

Plano de Agache para o Rio de Janeiro.

das elites e da formação de pólos culturalmente dominantes na sociedade brasileira. Escapamos, assim, da armadilha fácil de nos referirmos a um modelo hegemônico/oficial sem procurarmos compreender as suas lógicas de constituição, o que contribuiria apenas para a valorização simbólica de sua dominação.

O exame da formação do pólo erudito dominante deverá fornecer maior inteligibilidade a uma cartografia do campo arquitetônico brasileiro, assim como estabelecer uma dialética com meus trabalhos anteriores, que tratavam de construções populares concebidas sem a participação de profissionais diplomados (Cavalcanti e Guimaraens: 1979, 1982, 1985).

Penso que os arquitetos modernos conquistaram a posição de dominantes, desde a década de 1940, ao vencerem o debate com seus oponentes neocoloniais e acadêmicos nas seguintes frentes: a construção de monumentos estatais para o Estado Novo, a instauração de um Serviço de Patrimônio responsável pela constituição de um capital simbólico nacional – com a seleção e a guarda das obras consideradas monumentos nacionais – e, finalmente, a proposição de projetos de moradias econômicas, para a implantação, no país, de uma política de habitação popular. Este último aspecto foi objeto de minha dissertação de mestrado, "Casas para o povo: arquitetura moderna e habitações econômicas", que tomava como ponto de referência a equipe de técnicos que introduziu em nosso país, na década de 1930, a arquitetura moderna e elegeu, em seu discurso, a atuação em moradias populares como uma das prioridades na profissão do arquiteto. O objetivo da tese não era, tão-somente, constituir uma história social da arquitetura, mas, também, dentro de certos limites, contribuir para o maior entendimento da sociedade brasileira, enfocando como uma fração de suas elites – os arquitetos – vinha constituindo uma ideologia na interação com as camadas populares.

As duas outras bases do tripé de implantação e domínio do campo arquitetônico, por parte dos arquitetos modernos, são a participação em concursos e encomendas do Estado para a construção dos monumentos que formarão a face futura da nação que se queria constituir e os princípios e normas de atuação desse grupo quando nomeado, em 1937, para fundar e dirigir o Serviço do Patrimônio Histórico e Artístico Nacional (Sphan). Este era encarregado de resgatar e selecionar exemplares artísticos e históricos notáveis do até então menosprezado passado brasileiro: os modernos são considerados merecedores, pelo Estado, de tornarem digna, em seu nome, a produção que será "sacralizada" com a inscrição nos Livros de Tombo e a legislação especial que impede o seu desaparecimento ou descaracterização.

Um fenômeno singular, no caso brasileiro, é que são, fundamentalmente, os mesmos indivíduos que atuam nas três frentes anteriormente descritas.

O prefeito Dodsworth mostra a Getúlio Vargas a maquete do plano de remodelação da capital federal.

Na Exposição do Estado Novo, Capanema exibe a Getúlio os planos modernos para a cidade universitária, que permaneceram irrealizados.

Lucio Costa, Oscar Niemeyer, Carlos Leão, Affonso Eduardo Reidy, Jorge Moreira e Ernani Vasconcellos formavam o grupo que constrói, com Le Corbusier, a sede do MES (Ministério da Educação e Saúde), marco e divisor de águas da revolução moderna na construção. Lucio Costa, Oscar Niemeyer e Carlos Leão constituem, com outro moderno, José de Souza Reis, o núcleo inicial de arquitetos do Sphan, cujo setor técnico foi dirigido pelo primeiro de 1937 até a sua aposentadoria, no final dos anos 70. Costa, Reidy e Vasconcellos são responsáveis pelos principais projetos e textos acerca da moradia popular no Brasil. Niemeyer, o mais renomado arquiteto brasileiro, criador, com Lucio Costa, de Brasília, é o autor de projetos monumentais para as mais variadas administrações federais, estaduais e municipais, da década de 1940 até nossos dias.

A arquitetura moderna brasileira se estabelece, contrariamente ao sucedido na Europa, local de origem do movimento, por meio de encomendas estatais. O Brasil atravessava, na década de 1930, um momento de certa pujança econômica, notabilizando-se um esforço governamental no sentido de sua modernização. O governo de Vargas deseja imprimir sua marca nas formas da capital federal, e elege como uma de suas prioridades a construção de palácios para abrigar ministérios e órgãos públicos da nova administração.

Uma análise do nascimento do campo arquitetônico nacional não pode, contudo, ser feita sem estar relacionada ao internacional – e, particularmente, ao francês –, ao qual estava permanentemente referido. A falta de oportunidades no mercado estatal europeu para criadores de novas formas – devido aos campos arquitetônicos nacionais já estabelecidos e hegemonicamente dominados pelas escolas mais tradicionais nas poucas construções efetuadas durante a crise econômica relacionada à Segunda Guerra Mundial – fez com que arquitetos como Donat Agache, Le Corbusier e o italiano Marcello Piacentini se interessassem em atuar no nascente mercado estatal brasileiro.

O momento de origem de formas novas coincide, no Brasil, com a gênese de formação do campo arquitetônico, já que os arquitetos modernos conseguem constituir um discurso sobre a construção que logram impor aos seus pares, a setores intelectuais responsáveis pela política cultural do governo e, com o reconhecimento internacional, a setores mais amplos da sociedade brasileira. Tornando-se dominantes, conseguem difundir os seus modelos construtivos: no final da década de 1950, a nova capital, Brasília, foi construída com a totalidade de seus edifícios em tal estilo, depois de seu plano urbanístico haver sido selecionado em concurso do qual só participaram projetos com características modernas.

No final dos anos 30 e início dos 40, longe ainda da "unanimidade modernista" de Brasília, os arquitetos modernos disputavam com os adeptos das correntes neocolonial e acadêmica o privilégio de serem escolhidos pelo governo para efetuar as construções de seus ministérios e repartições. A seleção de formas arquitetônicas concretas que simbolizassem no Rio de Janeiro, então capital federal, o estilo e a face pública de um Estado que se queria "novo" envolveu disputas, explicitações de diferenças e conquistas de aliados em domínios não-arquitetônicos, além da mobilização da opinião pública, por meio dos jornais, por ocasião dos concursos para a edificação dos ministérios da Fazenda, Trabalho e Educação e Saúde. À exceção do prédio do MES, considerado marco canônico da arquitetura moderna e, como tal, exaustivamente louvado, as outras duas sedes ministeriais permaneciam pouco estudadas. A análise comparativa dos estilos dos três edifícios, associada ao exame das disputas para suas realizações, possibilita um entendimento contextual da época e da própria produção moderna.

A construção, durante a ditadura do Estado Novo, de sedes ministeriais com estilos tão díspares, desfaz, talvez, uma sólida crença no monolitismo do Estado: uma das mais rígidas ditaduras produz prédios com feições decididamente diversas. O exame dos concursos e processos de construção dos ministérios mostra, tanto do lado dos arquitetos quanto do dos ministros e assessores, pessoas de carne e osso, que se movimentam em lutas concorrenciais, agrupando-se e reagrupando-se a cada momento, dentro de limites socialmente determinados e determinantes. Aparece, então, uma história protagonizada por indivíduos, nos meandros de um Estado não-monolítico, espécie de campo de forças multivetoriais.

Os arquitetos modernos brasileiros conquistam a posição de dominantes graças a vários movimentos que comprovam a sua superioridade em face dos competidores acadêmicos e neocoloniais nas duas extremidades do campo: a popular e a erudita. A eliminação de ornatos, a estrutura aparente, a planta "livre", a idéia de protótipo e a possibilidade de reprodução industrial, muito mais que opções formais, eram apresentadas como justificativas éticas do movimento moderno. Não só as casas do rico e do pobre seriam igualmente despojadas, como haveria a possibilidade de, com esse despojamento, produzir casas operárias em larga escala. Gostar ou não das formas modernas deixa de ser um direcionamento estilístico para se tornar uma necessidade política e social, como frisava "corbusianamente" Lucio Costa. Os arquitetos modernos, não isentos de certo etnocentrismo e determinismo espacial, esperavam, com seus projetos, reeducar os mais pobres ensinando os modos corretos de morar. Na adoção da casa popular como objeto privilegiado, os modernos logram um feliz movimento no sentido de marcar o seu terreno de atuação: estabelecem, por um lado, distinção dos acadêmicos de belas-artes, envolvidos em querelas meramente estéticas; por outro lado, o movimento em direção ao social ajuda-os a se distinguirem dos engenheiros, envolvidos com questões puramente técnicas.

O início da atuação do movimento moderno em relação à habitação popular – os apartamentos econômicos da Gamboa, de Costa e Warchavchik – coincide com o ano da publicação de *Casa grande e senzala*, de Gilberto Freyre: 1933. Abraçam os arquitetos modernos as idéias de Freyre a respeito da "democracia racial" e seu otimismo em relação à sociedade brasileira. Para Costa (1980), a casa moderna seria um instrumento de liberação dos trabalhadores: "A máquina de morar ao tempo da Colônia dependia do escravo ... O negro era esgoto, era água corrente quente e fria; era interruptor de luz e botão de campainha."

As facilidades modernas diminuiriam a necessidade de empregados domésticos, que passariam a trabalhar nas indústrias. Visto que a maior parte dos empregados era mestiça, tal fato viria consolidar a idéia de uma democracia racial. Contrasta esse otimismo com a posição dos acadêmicos, que, influenciados pelos escritos da então prestigiada Escola Nina Rodrigues, atribuíam à raça ou à cultura mestiça a origem dos males brasileiros.

No pólo erudito, os arquitetos modernos conseguem proeminência especial em relação à capacidade de criar monumentos, sejam eles destinados ao futuro, sejam selecionados do passado. Essa é a característica própria e específica do modernismo arquitetônico brasileiro, capaz de explicar a extensão de sua vitória como dominantes do campo. Deve-se, aqui, portanto, relativizar a historiografia existente, que relata a construção do MES como o único marco inicial do movimento moderno, relegando a mera conseqüência posterior, resultante do bom convívio com o aparelho cultural estatal, a ocupação de postos no Sphan. O primeiro equívoco dessa colocação é cronológico: o Serviço de Patrimônio é criado concomitantemente ao processo de feitura do projeto arquitetônico, antes, portanto, da inauguração do MES; o segundo erro, mais grave, é o de subestimar o reconhecimento e o poder obtidos pelos modernos com sua nomeação como árbitros do que deveria integrar o *panthéon* nacional de monumentos pretéritos, assim como das novas construções a serem efetuadas na vizinhança de monumentos nacionais.

O episódio do Grande Hotel de Ouro Preto – no qual o Sphan rejeita a construção de um prédio neocolonial em favor de um projeto moderno de Oscar Niemeyer, concedendo a este último um status de obra de arte tão importante quanto o dos outros prédios tombados como monumentos nacionais – marca o momento em que os modernos conseguem impor os princípios internos de seu universo simbólico, estabelecendo uma postura patrimonial segundo a qual novas edificações em cidades históricas podem e devem ser efetuadas em estilo moderno.

Dominantes no pólo erudito, Lucio Costa e equipe arbitram o que deve ser sacralizado, o que deve permanecer para a posteridade e o que pode ser demolido. O aspecto da cidade do Rio de Janeiro, por exemplo, passou pela prancheta de Costa tanto no que se refere ao centro antigo – no qual exemplares do estilo eclético, de autoria dos acadêmicos de belas-artes, foram em sua maioria abolidos, tendo sido dada permissão para demoli-los – quanto no que toca ao plano-piloto da Barra da Tijuca, originalmente projetado de acordo com os cânones do urbanismo ortodoxo moderno (vias expressas, gramados entre os prédios, setores separados por destinação de uso etc.).

A dupla atuação de Costa e Niemeyer – o primeiro como urbanista e diretor de arquitetura e história do Sphan, o segundo como arquiteto de grandes projetos, principalmente na esfera pública – conferiu-lhes largo domínio no campo arquitetônico brasileiro.

Os arquitetos modernos brasileiros conseguiram, dessa forma, realizar o sonho de todo revolucionário: o controle dos pólos erudito e popular, além do reconhecimento de sua sabedoria sobre o passado e o futuro. Brasília e Ouro Preto corporificam a especificidade do modernismo brasileiro: Lucio Costa e Oscar Niemeyer projetaram a capital do futuro, ao mesmo tempo que remodelaram a face da capital simbólica de nosso passado colonial.

Finalizando, um dos pontos importantes a explicitar é aquele de denominação das correntes: nenhum dos participantes daquele movimento acata a designação de modernista, que, segundo os próprios, reduziria-o a uma dimensão transitória: preferem moderno, que traduziria uma contemporaneidade e um estágio evolutivo, resultado de aprimoramento de fases anteriores. Os adeptos de uma volta estilística ao passado colonial se autodenominavam ora neocoloniais, ora tradicionalistas. Optei por conservar as autodesignações desses grupos, mas desejo evidenciar tratar-se de categorias construídas pelos próprios integrantes. No caso dos membros da Escola Nacional de Belas Artes, que propugnavam um retorno a estilos pretéritos internacionais, não havia uma autodenominação corrente. Alguns poucos se referiam a si próprios como clássicos. No Salão Nacional de Artes de 1940, o primeiro a possuir uma divisão moderna, o setor destinado àqueles que seguiam a orientação da Escola intitulava-se, simplesmente, geral. Assim sendo, adoto para os adeptos de belas-artes a denominação de acadêmicos, usual na historiografia existente sobre o assunto.

A história do prédio do MES, de que aqui trato, me havia sido ensinada inúmeras vezes como um interminável mantra, na escola de arquitetura. Os próprios Oscar e Lucio, quando conversei com eles sobre a construção do prédio, não divergiam das histórias oficiais já divulgadas em seus escritos ou nos livros de história de arquitetura. O propósito deste livro, porém, é examinar a feitura desse edifício cotejando-a com a construção dos ministérios vizinhos e com todo o ambiente sociopolítico e cultural da época. Desse modo, aumenta-se a inteligibilidade de todo o processo e valorizam-se, ainda mais, as inovações nele realizadas.

O prédio do Ministério da Fazenda, ao qual ia em pequeno com a minha avó, parecia-me grave e ameaçador. Na sede do Ministério do Trabalho, havia entrado uma só vez, quando pedi demissão do Mobral para ingressar no Sphan/ProMemória. A sede do Ministério da Educação e Saúde, conhecida na década de 1970 como Educação e Cultura: na sala de aula, o modelo da perfeição; nos protestos estudantis, o símbolo do poder militar. De 1991 a 1992, trabalhei em seu oitavo andar, como diretor de promoção do Iphan. Revisitei agora esses locais, pessoas e histórias como alguém que passa a conectar, em nova teia, episódios e fatos que pareciam tão familiares.

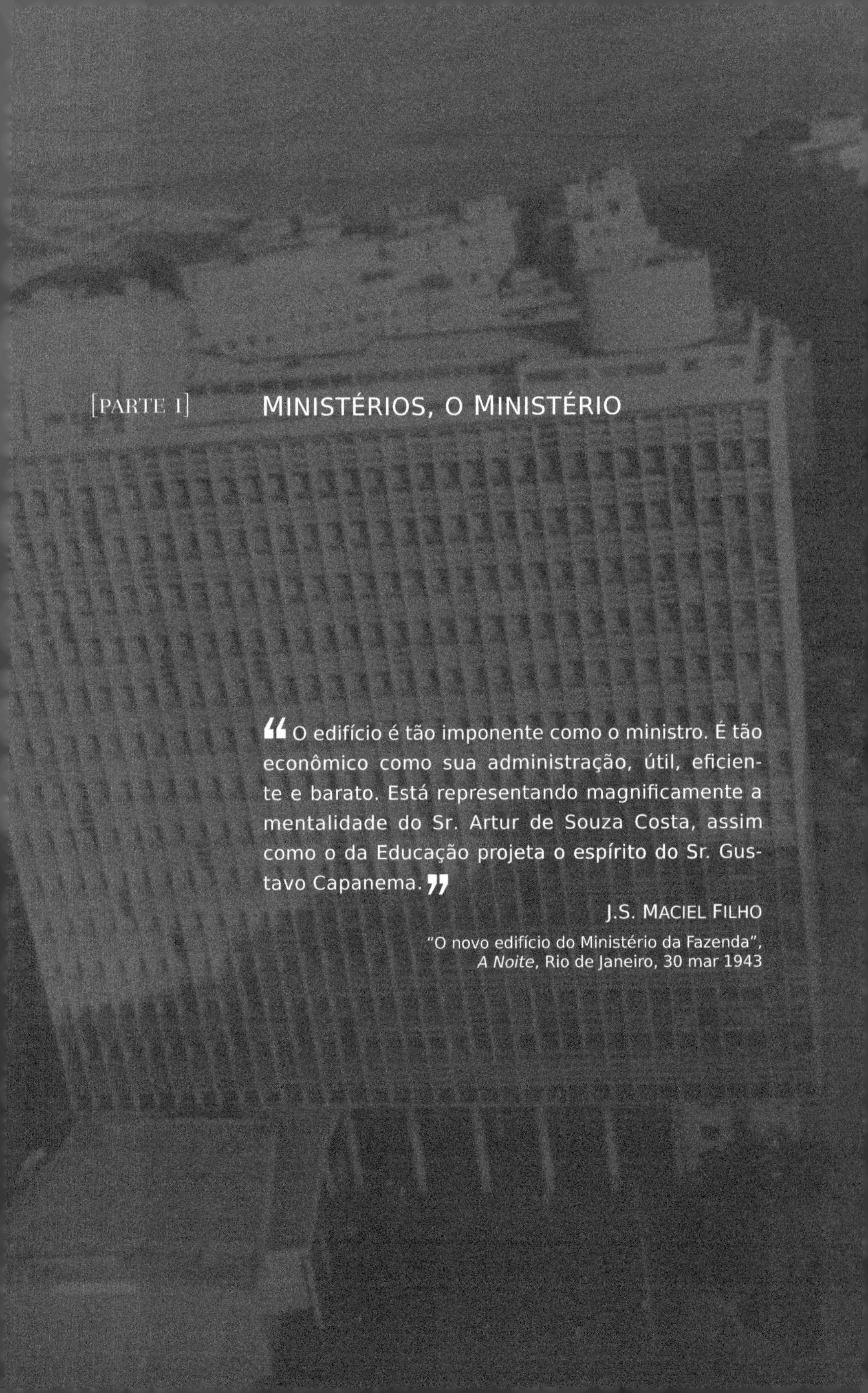

[PARTE I] MINISTÉRIOS, O MINISTÉRIO

> “O edifício é tão imponente como o ministro. É tão econômico como sua administração, útil, eficiente e barato. Está representando magnificamente a mentalidade do Sr. Artur de Souza Costa, assim como o da Educação projeta o espírito do Sr. Gustavo Capanema.”
>
> J.S. MACIEL FILHO
>
> “O novo edifício do Ministério da Fazenda”, *A Noite*, Rio de Janeiro, 30 mar 1943

EXPOSIÇÃO DO ESTADO NOVO

CAPÍTULO I

Panorama Geral

Em 1938, foi inaugurada a Exposição Nacional do Estado Novo, buscando realizar, "ao alcance do homem de rua", uma "síntese da vida brasileira" e das realizações do Governo Federal efetuadas desde 1930.

Dividida em vários setores, a mostra apresentava, como uma de suas maiores atrações, as maquetes e plantas dos novos edifícios que estavam sendo realizados "no programa de construção de grandes prédios públicos destinados a centralizar as diferentes repartições de cada departamento de Estado" (*Revista do Serviço Público*, outubro de 1938). Tão forte quanto os motivos de ordem prática era o desejo governamental de uma atuação arquitetônico-urbanística exemplar na capital da República:

> ... incumbido como é o Governo de auxiliar, fomentar e ampliar, com seu concurso, o patrimônio da arte do país, justo é que se inclua entre outras obrigações *a de espalhar pela cidade palácios e monumentos* que, pelas *características arquitetônicas e artísticas*, pelo aspecto grandioso que possam apresentar, venham a servir de *exemplo às iniciativas particulares*, atestem *o grau de cultura do povo* e estejam, enfim, à altura do renome que tenham adquirido nossas cidades como centros de civilização, de progresso e de riqueza. (*Revista do Serviço Público*, janeiro de 1939; grifos meus)

São construídas, à época, buscando "aliar às preocupações de ordem estética as do interesse administrativo", as sedes dos ministérios do Trabalho (1936/38), Educação e Saúde (1936/1943), Fazenda (1938/43), o da Marinha (1934/38) e o da Guerra (1938/42), além dos novos prédios da Central do Brasil (1936/40), da Alfândega (1939/41), do Entreposto de Pesca (1936/39) e o Palácio do Jornalista, sede da ABI (1936/38), edifício que, embora pertencente à associação de classe, foi todo realizado com crédito especial do Governo.

Pórtico da Exposição do Estado Novo, Rio de Janeiro, 1938.

Estava sendo criado um "mercado de obras públicas", distinto daquele da República Velha, restrito a teatros, bibliotecas e palácios (cf. Bruand: 1981). A prefeitura carioca se aliava às preocupações federais de remodelação da capital, convocando o urbanista Alfred Agache para elaborar o novo plano da cidade. Multiplicavam-se propostas como a de José Marianno: "Uma série de belos monumentos, fachadas amplas (50 a 100 metros), plantados em blocos isolados por gramados. No centro da grande composição ficaria o Palácio do Parlamento, e em torno os ministérios. Os grandes edifícios públicos voltados, em fachada, para a mais bela baía do mundo." (*Diário de Notícias*, 16 abr 1936)

As sedes ministeriais de Educação, Trabalho e Fazenda foram edificadas em terrenos vizinhos, na Esplanada do Castelo, a maior área urbana criada, à época, pela prefeitura do Rio. Acompanhar as discussões e examinar os vínculos sociais e alianças por ocasião de suas construções ajuda a mostrar como os modernos conseguiram impor seus cânones estéticos, suplantando seus concorrentes e certa predisposição contrária a esse estilo – expressa na orientação da Diretoria do Patrimônio da União de "evitar o moderno extremado, por não ser próprio para repartições públicas" (*Revista do Serviço Público*, abr/mai 1939).

Quais eram, afinal, tais concorrentes? Como se organizava o panorama das edificações? Até a virada do século XIX, o mercado de construções era dominado por mestres-de-obra, geralmente pedreiros de nacionalidade ou origem lusitana, que executavam "quase todas as casas do centro da cidade, com suas fachadas semelhantes alinhadas mas sem uma solução de continuidade de ambos os lados da rua ..." (Bruand: 1981). Arquitetos vindos da Europa ou, em minoria, formados pela Escola Nacional de Belas Artes, dedicavam-se a construir prédios públicos e casas para as camadas dominantes em estilo "eclético" – referido aos mais variados estilos pretéritos: neogrego, neo-romano, neobarroco, alusões ao renascimento italiano, ao segundo império francês e assim por diante.

No início do século XX, a disputa pelo campo da construção é objeto de maior empenho dos arquitetos, que logram estabelecer algumas regras para o seu funcionamento. A atividade é regulamentada através de registro obrigatório para construir: a prefeitura carioca concede aos pedreiros portugueses licença para edificar, sob o título de arquiteto-construtor. É criado, por volta de 1900, no Rio de Janeiro, o Setor de Censura de Fachadas, ocupado por arquitetos indicados diretamente pelo prefeito, através do qual é exercido o controle estético das novas edificações (um setor similar foi, posteriormente, criado na prefeitura de São Paulo; a primeira casa moderna, construída em 1923 por Warchavchik para si e sua mulher, Mina Klabin, teve de ser desenhada com inexistentes ornatos e molduras a fim de obter a aprovação da prefeitura paulistana). Somente em meados dos anos 30 – período no qual os acadêmicos passam de dominantes a dominados no campo arquitetônico – são extintos os setores de censura de fachadas no Rio e em São Paulo.

A abertura da avenida Central, em 1903, promovida pelo então prefeito carioca Pereira Passos, marca uma vitória dos arquitetos ecléticos: é lançado um concurso público para a construção das novas edificações restrito aos arquitetos-engenheiros formados na Escola de Belas Artes (ver, a esse respeito, Rosso del Brenna: 1985).

A vitória desses arquitetos configurou a imposição de um padrão estético. Numericamente, era muito maior, no Rio e em São Paulo, a presença de construções feitas por mestres licenciados. Até meados da década de 1920, os cursos – Politécnico, em São Paulo, e Belas Artes, no Rio – produziam poucos profissionais que se associavam para projetos específicos ou, mais comum, trabalhavam nos grandes escritórios de arquitetura e construção. No Rio, o escritório de Heitor de Mello, professor de composição na Escola de Belas Artes, era o mais prestigioso e ativo no período de 1898 a 1920, tanto no que diz respeito a prédios públicos quanto particulares (após sua morte, em 1920, assumiram a chefia o seu genro, Archimedes Memória, e F. Cuchet, igualmente professores de composição no Belas Artes; Lucio Costa estagiou no escritório de Heitor de Mello quando este ainda era vivo). Outros escritórios cariocas de relevo eram os de Robert Prentice & Floderer e o de Riedlinger, dedicados, principalmente, à construção de moradias para camadas médias altas, e o de Santos Maia, especializado em prédios de escritórios comerciais (para mais detalhes sobre os ateliês da época, ver Bruand: 1981 e Costa: 1980). O panorama em São Paulo não era muito diverso, estando a atividade arquitetônica "dominada por dois ou três grandes escritórios de arquitetura e construção, como os de Ramos de Azevedo (depois Severo & Vilares), de Pucci, de Bianchi, da Sociedade Comercial e Construtora etc." (Lemos: 1989).

A Escola Nacional de Belas Artes havia formado, de 1890 a 1900, somente três arquitetos. De 1901 a 1929, 37 profissionais. De 1930 a 1939, graduaram-se 344 arquitetos (48 em 1930; 56 em 1931; 58 em 1932; 68 em 1933; 59 em 1934; 17 em 1935; oito em 1936; dois em 1937; nenhum em 1938 e 28 em 1939, segundo relatório do diretor da Enba, Augusto Bracet, ao ministro Capanema, em 4 nov 1940. Arquivo Capanema, CPDOC/FGV).

Em 11 de dezembro de 1933, a profissão de arquiteto é regulamentada através do Decreto-lei n.23.569 da Presidência da República. A década de 1930 assinala, portanto, a expansão das atividades e a oficialização da profissão de arquiteto; é nesse momento que se travam os embates, dentro de

Manifestação popular de apoio a Getúlio Vargas, por ocasião da abertura da Exposição do Estado Novo.

Centro do Rio: em primeiro plano, a Biblioteca Nacional e o prédio da ABI. No fundo, da esquerda para a direita, as sedes dos ministérios do Trabalho e da Educação.

Vista da Esplanada obtida com o desmonte do morro do Castelo. Demarcados os terrenos dos ministérios do Trabalho, da Educação e da Fazenda (este ainda com o remanescente de uma construção).

Desfile em comemoração do Dia da Pátria em frente ao Ministério da Gerra, 1941. Ao fundo, ainda inconcluso, o prédio da Central do Brasil.

Ministério da Guerra no final da década de 1940.

Avenida Presidente Vargas: antes da abertura e o projeto modelar.

A recém-concluída avenida Presidente Vargas.

Plano de urbanização da praça do Castelo.

Novo *skyline* nas remodelações da capital federal: a Central do Brasil e o Ministério da Guerra.

Apogeu do estilo eclético: vista geral da exposição de 1908.

Escola Normal do Distrito Federal, conhecida como Instituto de Educação.

Getúlio Vargas e Dodsworth em 1941. Comemoração do Dia da Pátria no Instituto de Educação, maior realização arquitetônica da corrente neocolonial.

um campo recém-formado, envolvendo, em uma primeira instância, ecléticos *versus* neocoloniais e, logo a seguir, os últimos contra os modernos.

A corrente neocolonial propunha um retorno às formas de um Brasil colonial, originando-se em São Paulo, curiosamente por intermédio de dois estrangeiros: o português Ricardo Severo e o francês Victor Dubugras. Severo, casado com Francisca Dumont, filha do "rei do café" Henrique Dumont e irmã caçula de Alberto Santos Dumont, associou-se a Ramos de Azevedo, dono do maior escritório paulistano de arquitetura e construção, chefiando-o após a morte deste; dedicava-se, ainda, a estudos arqueológicos ligados à pesquisa das raízes da "raça" lusitana situadas, segundo a sua hipótese, em povos primitivos anteriores aos romanos, explicando, assim, a definição da grandeza do povo português. Costumava divulgar essas idéias através de publicações e freqüentes conferências. Em uma delas, "A arte tradicional no Brasil", de enorme repercussão, aborda a arquitetura colonial brasileira e conclama: "É necessário, pois, que os jovens arquitetos nacionais dêem início a uma nova era de Renascença Brasileira; a eles ofereço essa lição inicial." (apud Lemos: 1989)

Dubugras veio para São Paulo em 1891, onde trabalhou no escritório de Ramos de Azevedo e atuou como professor da Escola Politécnica. Foi um expoente do movimento *art nouveau* em nosso país. Hábil criador de estruturas e espaços, são de sua autoria a estação Mairinque, de estrada de ferro, e inúmeros palacetes na capital paulista. Era amigo de Washington Luís – amante da história bandeirante e então prefeito da capital paulista –, e juntos realizaram viagem ao interior do estado, recolhendo vestígios da pretérita arquitetura local. Em 1919, Victor Dubugras, por encomenda do prefeito, realizou o primeiro monumento neocolonial: as escadarias do Largo da Memória. Em 1922, o já governador Washington Luís contratou-o para erigir monumentos comemorativos ao centenário da Independência, à margem da estrada para Santos, todos em estilo alusivo à arquitetura passada.

O principal líder e propagador do estilo neocolonial foi, entretanto, José Marianno (Filho), descrito em *Quatro séculos de arquitetura* (Paulo Santos: 1981) como "a alma do movimento e seu virtual chefe a partir de 1919, e quem o levou a adquirir, no Rio, maior amplitude que em São Paulo. Embora não fosse arquiteto nem praticasse artes plásticas, tinha a têmpera de um *condo*, a que a riqueza, posta a serviço do que chamava 'a minha causa, a causa da nacionalidade', conferia ares de mecenas da arquitetura".

Os neocoloniais tinham como principais adversários, em uma primeira etapa, os acadêmicos, que só atribuíam valor a elementos arquitetônicos inspirados em prédios clássicos de um passado internacional.

O momento de maior prestígio do neocolonial ocorreu em 1922, por ocasião da Exposição Internacional comemorativa do centenário da Independência brasileira. Vários pavilhões foram feitos nesse estilo: o das Pequenas Indústrias, de Nestor Figueiredo e C. San Juan, inspirado no convento de São Francisco, em Salvador; o de Caça e Pesca, de Armando de Oliveira, combinando elementos da arquitetura rural nordestina e, o mais importante, o das Grandes Indústrias – atual Museu Histórico Nacional – de Archimedes Memória e F. Cuchet. Esse último projeto tomou como base um antigo arsenal existente – a Casa do Trem, de 1762 – ao qual foram justapostos vários elementos de linguagem neocolonial. O peculiar processo de intervir em prédios do período colonial, com reinterpretações neocoloniais, foi efetuado pelos mesmos arquitetos, naquela época, no Paço Imperial, a mais importante edificação pretérita e antiga sede da corte portuguesa e do império brasileiro.

O maior triunfo neocolonial, contudo, foi na arquitetura residencial carioca e paulistana, que se distingue da face mais grandiosa representada por Memória e Cuchet. As duas cidades são pródigas não só em residências reportando-se ao passado colonial brasileiro como também naquele estilo chamado "missão espanhola" – importado, provavelmente, da costa oeste norte-americana – e com justaposições dos mais diversos períodos e regiões, predominando elementos que asseguram o caráter neocolonial: telhados de barro com grandes beirais, varandas, ornatos abarrocados etc. Um dos melhores exemplos de residência nesse estilo é aquele da rua Rumânia, no Rio de Janeiro, projeto de juventude do próprio Lucio Costa, em parceria com Fernando Valentim.

Esse era o panorama da construção desde o início do século e as linhas gerais das principais correntes que se enfrentaram nos concursos pelas sedes ministeriais da República, palco principal das disputas acirradas pelo domínio da cena arquitetônica nos anos 30 e 40.

CAPÍTULO 2

Ministério da Educação e Saúde

Uma das principais preocupações do Estado Novo diz respeito à construção do novo homem brasileiro. Como instrumentos para tal objetivo, são criados dois ministérios: o do Trabalho e o da Educação e Saúde Pública.

O trabalho é considerado o meio por excelência para integrar o homem à sociedade, transformando-o em cidadão/trabalhador, de acordo com "uma concepção totalista do trabalho, atenta às mais diversas facetas da vida do povo brasileiro: saúde, educação, alimentação, habitação etc." (Gomes: 1982). Essa abrangência conceitual aproximará a atuação dos dois ministérios.

O Ministério da Educação e Saúde, conduzido por Gustavo Capanema, preocupava-se não apenas com a educação, mas, principalmente, com a formação desse novo homem que pretendia moldar: "O Ministério da Educação e Saúde se destina a preparar, a compor, a afeiçoar o homem do Brasil. Ele é verdadeiramente o *Ministério do Homem*." (ministro Gustavo Capanema em carta ao presidente Getúlio Vargas em 14 jun 1937 – CPDOC/FGV; grifo meu).

Era preciso "elevar" o nível das camadas populares, sendo necessário para isso "desenvolver a alta cultura do país, sua arte, sua música, suas letras" (Schwartzman et al.: 1984). Órgãos oficiais, como a revista *Cultura Política*, veiculavam artigos insistindo na inexistência de um povo brasileiro e na premência de forjá-lo. Para a gigantesca tarefa de formar a nacionalidade (cf. Muller: 1941), necessário seria tornar o país homogêneo, aplainando as distinções regionais e raciais que distinguiriam negativamente o Brasil – de acordo com as idéias de Oliveira Vianna, largamente difundidas na época, que associavam raças e temperamentos, atribuindo à miscigenação o atraso brasileiro.

Prédio do MES com a escultura de Jacques Lipchitz na empena do auditório.

Como instrumento para a formação do novo homem e da nacionalidade, contava o MES com o Departamento de Propaganda, que atuava pedagogicamente através de música, educação física, cinema, rádio e habitação. Desempenhava a música, em especial o canto orfeônico, forte papel na tentativa de educação popular: Villa-Lobos regia centenas de pessoas – em ginásios, estádios de futebol e praças públicas – na procura de incorporar cantos tradicionais da área rural à música erudita.[1] Atribuía-se à educação física enorme relevo na obra de construção do povo brasileiro, ou seja, na formação "eugênica" das massas (Peregrino Júnior: 1942, apud Lima: 1979). Encarava-se o cinema como forte instrumento para "influir beneficamente sobre as massas populares, instigando os belos entusiasmos e ensinando as grandes atitudes e as nobres ações" (Gustavo Capanema: 1934, apud Schwartzman et al.: 1984). O rádio era visto como elemento educador por excelência, devendo ter, fundamentalmente, uma aplicação pedagógica. A habitação era outro setor essencial: as doenças, a preguiça e o desânimo do trabalhador eram atribuídos às más condições de higiene da moradia (ver Cavalcanti: 1987).

Estabelecido o elenco de atividades e metas, faltava ao MES a construção da sede que, além de congregar todos os órgãos sob sua direção, deveria simbolizar o esforço renovador, dando formas a uma ação voltada para o futuro do Brasil.

É obtido, da prefeitura, um terreno ocupando quarteirão inteiro na Esplanada do Castelo, compreendido entre as ruas Graça Aranha, Araújo Porto Alegre, Imprensa e Pedro Lessa. Em abril de 1935, promove-se um concurso de anteprojetos arquitetônicos. O júri, igualmente responsável pela elaboração de seu edital, era constituído por Eduardo Sousa Aguiar, engenheiro, superintendente do Setor de Obras e Transportes do MES; Salvador Duque Estrada Batalha, indicado pelo Instituto Central de Arquitetos;[2] Adolfo Morales de Los Rios Filho, representando a Escola Nacional de Belas Artes; Natal Palladini, engenheiro e representante da Escola Politécnica da Universidade Técnica Federal e o ministro Gustavo Capanema, na condição de presidente, com direito a voto somente no caso de empate.

O edital, publicado em 23 de abril de 1935 no *Diário Oficial* e nos principais jornais da capital, estabelecia que "o concurso constará de duas provas

1. "Nenhuma arte exerce sobre as massas uma influência tão grande quanto a música. Esta é capaz de tocar os espíritos menos desenvolvidos, até mesmo os animais. Ao mesmo tempo, nenhuma arte leva às massas mais substância. Tantas belas composições corais, profanas ou litúrgicas, têm somente esta origem: o povo." (Trecho de conferência de Villa-Lobos em Praga, apud Schwartzman et al.: 1984)

2. O Instituto Central dos Arquitetos é o antecessor do Instituto Brasileiro de Arquitetos (IAB).

sucessivas. À primeira poderão concorrer, individualmente, todos os arquitetos legalmente habilitados ao exercício de sua profissão no Brasil. À segunda serão admitidos somente os concorrentes, em número de cinco, escolhidos pelo júri na primeira prova". A composição do júri – dos três membros estranhos ao Ministério, dois (Morales de Los Rios e Duque Estrada Batalha) eram professores na Enba, de orientação acadêmica – reflete-se na estrutura do edital, elaborado a partir de posturas municipais incompatíveis com qualquer inovação: "A lei exigia o limite de sete pavimentos alinhados com quadra interna, os pisos concentrados no centro do terreno devolvido ajardinado para gozo dos contribuintes." (Costa: 1951)

A primeira reunião, realizada em 17 de junho de 1935, destinou-se à abertura dos projetos[3] e discussão de métodos para o julgamento: "O sr. Sousa Aguiar fez ver que pretendia apresentar ao júri, oportunamente, um método que consistia em ter cada jurado um quadro em que figuravam em colunas verticais as divisas dos concorrentes e, em colunas horizontais os quesitos a responder." (Ata da primeira reunião do júri para o concurso de anteprojeto para a sede do MES; Arquivo Iphan)

Iniciando a segunda sessão, às 14 horas de 5 de julho de 1937, o ministro Capanema "faz sentir que desejava o julgamento o mais justo possível, premiando-se aqueles que melhor se apresentassem, fosse qual fosse a escola do projetista" (Ata da segunda reunião do júri para o concurso de anteprojeto para a sede do MES; Arquivo Iphan). Morales de Los Rios observa que um grande número dos concorrentes não havia obedecido às disposições de implantação no terreno e "o prof. Batalha e o dr. Sousa Aguiar opinaram para que as condições impostas pelo edital fossem eliminatórias, o que foi aceito" (op.cit.). Examinados todos os planos, tal decisão acarretou a desclassificação de 33 projetos com ocupação "não-convencional" do terreno. Ficaram, dessa forma, selecionados três anteprojetos – Pax, Minerva e Alpha –, resolvendo o ministro "que fosse realizada outra reunião no dia oito, às 18 horas, para exame mais detido dos três escolhidos" (op.cit.).

Na terceira reunião, ficou resolvido que só seria classificado o anteprojeto que obtivesse votação igual ou superior a três votos. Procedeu-se à votação e, posteriormente, à abertura dos invólucros para conhecimento de seus autores: Pax (Archimedes Memória) e Minerva (Rafael Galvão) obtiveram

3. Eram os seguintes os pseudônimos dos concorrentes, através dos quais não é difícil perceber a filiação estilística de cada um: XYZ, Alpha 1, Concreto, Nemo, Olinda, Rio, Alen da lux ubi orta libertas (2 projetos), Alpha 2, Chaco, O Brasil espera, Quae sera tamen, Nagra, Eis-tudo, Eons, Mário Querque, Nedype, Minerva, M.E.S.P., Última Hora, Pax, Alpha 3, Ut docendo florescat, Lógica, Economia e Beleza, Tiradentes, Atenas, Tintinha, Canaan, Popoff, J.Q.L., Itapoan, Rasane, XX e Pax 2.

Os premiados do concurso para a construção do Ministério da Educação e Saúde:

1º colocado: Archimedes Memória.

2º colocado: Rafael Galvão.

3º colocado: Gérson Pinheiro.

Desenho do projeto original da equipe moderna para o MES, antes da consultoria de Le Corbusier.

quatro votos – Morales, Batalha, Palladini e Sousa Aguiar; Alpha (Gérson Pinheiro) obteve somente dois votos – Batalha e Sousa Aguiar. Capanema deu então o seu voto de desempate ao concorrente Alpha que, passando, assim, a contar com três, ficou também classificado.[4] Encerrou-se a reunião após comunicado aos autores o prazo de mês e meio para que desenvolvessem os projetos até o julgamento final.

A reação dos modernos desclassificados se dá, em uma primeira instância, na imprensa: a revista da Diretoria de Engenharia da Prefeitura do Distrito Federal, dirigida à época pela engenheira Carmen Portinho, mulher do arquiteto Affonso Reidy, publica dois projetos modernos do concurso – o de Jorge Moreira e Ernani Vasconcelos e o do próprio Reidy; em matéria seguinte, relata o concurso realizado pouco tempo antes, para a construção da Caixa de Aposentados de Praga, no qual foi vitorioso um grupo de arquitetos cujo projeto, igualmente de influência corbusiana, havia desrespeitado as normas do edital e das posturas municipais da capital tcheca.

Quase quatro meses após, em 1º de outubro de 1935, foi realizada a reunião para a escolha final dos premiados no concurso. "O sr. dr. Gustavo Capanema deu início aos trabalhos, declarando não ter examinado detalhadamente os projetos porque quis deixar inteiramente aos técnicos tal incumbência. Indagou se todos tinham opinião definitiva sobre os projetos, tendo sido por todos respondido afirmativamente." (Ata da reunião de encerramento do concurso para escolha do projeto do edifício do MES; Arquivo Iphan)

O arquiteto Sousa Aguiar, funcionário do Ministério, pediu a palavra para se referir:

> ... aos comentários feitos por alguns dos concorrentes na revista da Diretoria de Engenharia da Prefeitura Municipal. Disse que não examinaria todas as alegações porque todas elas são inconseqüentes; trataria apenas do tema sobre áreas por ser controvérsia técnica. Neste ponto estranhou a intransigência dos que preferem sempre as áreas exteriores. Fez sentir que o plano diretor da cidade obrigava à adoção de pátios internos. (op.cit.)

Em seguida, emitiu sua opinião sobre os três projetos, colocando-os na seguinte ordem: Archimedes Memória, Rafael Galvão e Gérson Pinheiro. Justifica o seu voto, salientando as vantagens do projeto classificado em primeiro lugar: "Ótima regulação térmica natural e excelente ventilação transversal, adequada a nosso clima, sendo ainda o que ofereceu melhor circulação." (op. cit.) Acentua, ainda, o fato de o projeto de Memória haver

---

4. É interessante notar como, já nessa fase, Capanema usa a sua prerrogativa de desempate para optar por um terceiro projeto, o único dos concorrentes que possuía, ainda que tímidas, feições modernas.

sido o único a respeitar o teto fixado para a área a ser construída e, conseqüentemente, o custo final do projeto. Moraes de Los Rios declara estar "plenamente de acordo com o parecer do arquiteto Sousa Aguiar e para não repetir a mesma opinião o subscrevo" (op.cit.).

O ministro Capanema procede à apuração dos votos, para a classificação, solicitando que lhe seja, posteriormente, enviado o parecer justificativo de cada jurado. O resultado foi o seguinte: para o primeiro lugar, Archimedes Memória recebeu dois votos (Morales de Los Rios e Sousa Aguiar); Galvão, um (Natal Palladini) e Gérson Pinheiro, outro (Salvador Batalha). Para o segundo lugar, Rafael Galvão recebeu três votos (Morales de Los Rios, Sousa Aguiar e Salvador Batalha), cabendo um voto a Archimedes Memória (Natal Palladini). O terceiro lugar é atribuído a Gérson Pinheiro, com três votos (Natal Palladini, Sousa Aguiar e Morales de Los Rios), tendo Memória um voto (Salvador Batalha) para essa colocação.

Archimedes Memória era catedrático de grandes composições e diretor da Enba, titular do escritório de seu falecido sogro Heitor de Mello, autor de importantes prédios públicos no Rio de Janeiro e membro da Câmara dos Quarenta, órgão máximo do Partido Integralista. O seu projeto "marajoara", vencedor, não obteve pareceres muito entusiásticos daqueles que o apoiaram para a primeira colocação; sofre, por outro lado, críticas severas de Batalha, o representante do Instituto Central dos Arquitetos, que afirma parecer ele muito mais um pavilhão de exposições do que um ministério. Natal Palladini coloca igualmente em dúvida a adequação de suas fachadas: "À parte o seu valor como concepção artística, não a considero própria para um prédio público." (op.cit.)

O segundo flanco de reação dos modernos à desclassificação, certamente mais efetivo do que o artigo em revista de circulação restrita, deu-se junto ao gabinete do ministro, em cuja equipe encontravam-se os mais fortes aliados: Carlos Drummond de Andrade, Manuel Bandeira, Rodrigo Melo Franco de Andrade e Mário de Andrade.[5] A tarefa de persuadi-lo não parece ter sido muito árdua: Capanema estava bastante descontente com as formas que a sede de seu ministério assumiria, caso realizado o projeto de Memória. Nada mais contrário a seu desejo de "tradução" arquitetônica de uma ação voltada para o futuro e a formação do novo homem brasileiro

5. Colaboravam com órgãos do MES, além dos citados, os seguintes intelectuais com filiação moderna: Gilberto Freyre, Joaquim Cardoso, Abgar Renault, Emílio Moura, Cecília Meireles, Vinicius de Moraes, Prudente de Morais Neto e Afonso Arinos de Melo Franco. O trabalho em órgãos públicos deixa transparecer a crença modernista de que era o Estado o lugar da renovação e da vanguarda naquele momento, assim como o vislumbre da possibilidade de aplicar na realidade idéias de reinterpretação ou reinvenção de um país que estavam sendo lançadas nas páginas de seus livros. Para mais informações sobre a presença de intelectuais em órgãos públicos do Estado Novo, ver *Modernistas na repartição* (Cavalcanti: 1993).

do que uma sede mesclando estilo neoclássico e elementos decorativos alusivos a uma fictícia civilização marajoara que haveria existido durante a Antigüidade, na região norte do Brasil.[6]

Em janeiro de 1936, são pagos os prêmios aos projetos vencedores, ao mesmo tempo que, em sigilo, resolve o ministro buscar outras soluções para a sede do MES, como atesta o documento S.E. 483/36, de 9 de janeiro de 1936, referente à contratação de um dos arquitetos convidados:

> O Superintendente de Obras e Transportes, com o ofício n.17, de 8 do corrente, remete a proposta do *arquiteto Leão* para *confecção do projeto do Ministério*, na importância de 302:000$000, achando-a razoável. *Cumprindo o despacho do Sr. Ministro*, junto projeto de expediente constante de minuta do contrato a ser lavrado. Em 9/1/36. ass: João Malheiros dos Santos. (Arquivo Capanema, CPDOC/FGV; grifos meus)

Em 11 de fevereiro, Capanema expõe, em carta ao presidente Vargas, sua insatisfação com os planos selecionados pelo concurso, e solicita a autorização para contratar Lucio Costa e equipe:

> Nenhum desses projetos premiados me parece adequado ao edifício do Ministério da Educação. Não se pode negar o valor dos arquitetos premiados. Mas exigências municipais tornaram difícil a execução de um projeto realmente bom. Julguei de melhor alvitre mandar fazer novo projeto. Solicito verbalmente a sua autorização. E pedi à prefeitura municipal que dispensasse as exigências, que impediam a realização de uma bela obra arquitetônica. Não quis abrir novo concurso... Encarreguei, assim, o arquiteto Lucio Costa da realização do trabalho.[7] Este arquiteto chamou a colaborar consigo outros arquitetos de valor. E entraram a executar o serviço que já está bem adiantado. É preciso, porém, que se faça um contrato de honorários. A proposta feita pelos arquitetos foi julgada razoável pelo técnico deste Ministério, como consta deste processo. Venho, pois, solicitar a V. Excia. que me

6. O estilo marajoara é uma estilização de temas indígenas, uma fantasia romântica de idealização de um passado "nobre" brasileiro, tratado como fonte de inspiração acadêmica em substituição a Roma e à Grécia. Vale transcrever trecho do artigo escrito em 1934 por Alberto Gallo: "Seriam tribos provindas do Peru, onde a arte cerâmica e decorativa deixou brilhantes vestígios? seriam ramos dispersos dos astecas? dos incas? seriam descendentes ou discípulos dos egípcios, ali chegados através da decantada Atlântida? teriam bebido os seus conhecimentos com os argonautas? com os chineses? chi lo sa? fiquem para os cientistas as pesquisas neste sentido e, enquanto não forem descobertas as suas origens, nem por isto deixarão de ser aproveitados os elementos decorativos que eles deixaram em Marajó e na região amazônica." ("Da arte marajoara como decoração", in *Revista de Arquitetura*, 1934)

7. Havia Capanema pedido ao Club de Engenharia, ao Sindicato Nacional de Engenheiros e ao Instituto Central de Arquitetos que lhe indicassem cada um cinco nomes de técnicos capazes para a elaboração do projeto da Universidade do Brasil, no Rio de Janeiro. O nome do arquiteto Lucio Costa figurava em duas listas, a do Sindicato Nacional de Engenheiros e a do Instituto Central de Arquitetos, fornecendo ao ministro o suporte para convidá-lo para elaborar a sede do MES.

autorize a fazer os contratos, nos termos da minuta junta, salvo uma ou outra alteração da data para a entrega do trabalho.[8] (Arquivo Capanema, op.cit.)

Capanema busca, ainda, alicerçar tecnicamente a recusa ao projeto de Memória, enviando em 4 de março correspondência, de conteúdo quase idêntico, ao ministro Maurício Nabuco e ao engenheiro Saturnino de Britto, solicitando pareceres a respeito do projeto classificado em primeiro lugar. A Nabuco pergunta se ele "atende às exigências de uma organização racional do serviço público, no que diz respeito a conforto, propriedade, eficiência e outros quaisquer requisitos indispensáveis ao bom funcionamento da administração". A Britto questiona se "atende às exigências de engenharia sanitária, no que diz respeito a edifícios públicos". Finaliza recomendando a ambos: "Estimarei que a resposta de V. Sa. seja acompanhada de razões técnicas pormenorizadas, para o que ponho à sua disposição o aludido projeto e mais todos os elementos de informação, exame e consulta existentes neste Ministério." (Arquivo Capanema, CPDOC/FGV). Em 10 e 16 de março, chegam as respostas de Britto e Nabuco condenando o projeto de Memória. No dia 18, as plantas e os pareceres são submetidos à apreciação do inspetor de engenharia sanitária do MES, Domingos da Silva Cunha, que em 24 de março apresenta a sua opinião: "Penso que o edifício projetado não deverá ser concluído se o Governo quer, realmente, além de satisfazer perfeitamente às suas necessidades de administração, possuir uma notável obra de arquitetura, digna de nossa cultura artística ..." (Arquivo Iphan). Fechando o ciclo de preceitos burocráticos, o ministro determina o arquivamento das plantas dos três projetos premiados na Superintendência de Obras, acompanhadas pelos pareceres negativos a respeito do plano de Memória. Em 25 de março, Capanema convida, oficialmente, Lucio Costa para elaborar um novo plano. Pondera o arquiteto, a Capanema, que três outros projetos, além do seu, mereciam ser considerados com características modernas: os de Carlos Leão, Affonso Reidy e Jorge Moreira (cf. Costa: 1962). Propõe a formação de uma equipe, para mostrar que "no programa da nova arquitetura, o trabalho em equipe poderia resultar em um projeto melhor e mais significativo do que aquele realizado individualmente. Por outro lado, eliminava, pelo menos parcialmente, a impressão de arbitrariedade que causava a sua escolha" (Bruand: 1981). É constituída, então, a equipe integrada por

8. Em carta posterior a Getúlio, de 19 de outubro de 1936, apresentando o primeiro projeto do grupo brasileiro, o ministro historia todo o processo e dispensa os meios-tons, ao se referir ao plano de Memória: "Isto sem falar do lado estético do projeto, que é de mau-gosto evidente." (Arquivo Capanema, CPDOC/FGV)

Affonso Eduardo Reidy, Carlos Leão, Jorge Moreira, Ernani Vasconcelos e Oscar Niemeyer.

O exame dos anteprojetos do concurso fragiliza o argumento de que foram convocados os outros três com "características modernas". Tal critério teria garantido a inclusão, dentre outros, do de Olavo Redig de Campos que, formado em Roma, apresenta uma proposta com todos os estilemas modernos. O depoimento de Costa (1989) altera um pouco, também, tal critério estilístico: "O Carlos Leão, pessoa culta e fina, chamei porque era meu sócio e amigo. Affonso Reidy e Jorge Moreira, colegas na Enba, haviam apresentado bons projetos. Moreira disse que só aceitaria colaborar caso viesse também o Ernani. Oscar, colaborador meu, argumentou que também merecia estar no grupo."[9]

A equipe formada possuía alguns pontos em comum: a alta extração social de suas famílias, o fato de três dos seus integrantes haverem nascido na França (Lucio Costa em Toulon, 1902, Moreira em Paris, 1904, e Reidy em Paris, 1908) e cursado o básico na Europa. Todos eram formados pela Enba do Rio de Janeiro: Costa em 1924, Reidy em 1929, Moreira em 1930, Leão em 1931, Vasconcelos em 1933 e Niemeyer em 1934. Costa, Reidy e Vasconcelos obtiveram a medalha de ouro em suas turmas, sendo agraciados com o prêmio de viagem à Europa, oferecido pelo Lloyd. Moreira era chefe do Diretório Acadêmico e líder do movimento estudantil em apoio às renovações propostas sob a direção de Costa.

A equipe dominava, com certa fluência, o idioma francês, indispensável para o entendimento da literatura moderna e das palestras realizadas por Le Corbusier em 1929, por ocasião de sua primeira vinda ao Brasil: "O fato de a conferência ser em francês já restringia o público. Lembro-me que havia só uns dez, doze na primeira conferência de Le Corbusier." (relato de Alcides Rocha Miranda, em 1989)

O modernismo na arquitetura brasileira foi, sobretudo, uma reinterpretação das idéias de Le Corbusier e, em menor medida, daquelas de Walter Gropius. Embora Frank Lloyd Wright tenha vindo ao Brasil no início dos anos 30 e se encontrado com arquitetos modernos brasileiros em casa projetada por Costa e Warchavchik, na rua Toneleros, a sua influência, sobretudo no Rio de Janeiro dos anos 30 e 40, não foi muito marcante. Os motivos para essa pouca atração deveram-se, possivelmente, ao individualismo de Wright,

9. Ernani Vasconcelos foi incluído por exigência de seu primo, Jorge Moreira, com quem havia elaborado o anteprojeto do concurso. A entrada de Vasconcelos acarretou a de Oscar Niemeyer; este, assinando, à época, Oscar Soares Filho, encarregado das perspectivas do escritório de Costa, sentiu-se à vontade para exigir sua inclusão no grupo.

à sua especificidade norte-americana, a certo ar superior e ao caráter não muito genérico de suas realizações.[10]

Lucio Costa afirma ter:

> ... aderido com a fé de um crente às idéias de Le Corbusier pois somente ele conseguia reunir argumentos em torno de três fatores que considerava essenciais: o técnico, o artístico e o social. Estava convencido, na época, que transformação arquitetônica e social era uma coisa só e que a nova arte só floresceria em novo regime. Estava enganado, pois, com a vitória de Stalin, a Rússia retoma a arte acadêmica, sendo efetuada a nova arquitetura nos países capitalistas. (depoimento ao autor em 1989)

Um ponto básico para Le Corbusier e Gropius é o de que a arquitetura moderna traduzia um momento de ruptura com a sociedade anterior. O espírito novo, no dizer de Le Corbusier, estaria situado na indústria e na máquina, em oposição ao trabalho artesanal. Para Gropius, "querer construir na era da industrialização com os recursos de um período artesanal é, cada vez mais, algo sem futuro" (1925). Defende Le Corbusier (1923) que a casa deve ser "uma máquina de morar", com economia e eficiência industriais.

A defesa da indústria sobre o artesanato visava obter qualidades intrinsecamente universais e se traduzia, estilisticamente, na eliminação de ornato e conseqüente simplificação das construções para produção em série, de modo a fornecer habitações, principalmente, para as camadas operárias.[11] Almejavam, Gropius e Le Corbusier, que o novo estilo abolisse as fronteiras nacionais e de classes, formando uma irmandade coletiva e democrática. Dispensável dizer, entretanto, que o estilo coletivo, abstrato e universal era gerado por uma comunidade intelectual européia, que compartilhava certas idéias específicas sobre novas ordens artísticas e procurava difundi-las para os demais países.

Configurada a não-execução de seu projeto, Archimedes Memória reage com carta enviada diretamente ao presidente Getúlio Vargas. Relata a sua premiação, a desclassificação de Lucio Costa na primeira etapa, sua contratação por Capanema e conclui:

> O que acabamos de narrar tem, no presente momento, gravidade não pequena, em se sabendo que esse arquiteto é sócio do arquiteto Gregori Warchavchik, judeu russo de atitudes suspeitas. ... Não ignora o sr. ministro da Educação as atividades do arquiteto Lucio Costa, pois pessoalmente já mencionamos a S. Excia. vários nomes dos filiados ostensivos à corrente modernista que tem como centro o Club de Arte Moderna, célula comunista cujos principais ob-

10. De acordo com depoimento de Lucio Costa a Lauro Cavalcanti em junho de 1989.
11. Sobre a justificativa ética do movimento moderno, ver Parte III, "Casas para o povo".

> jetivos são a agitação no meio artístico e a anulação de valores reais que não comungam no seu credo. Esses elementos deletérios se desenvolvem justamente à sombra do Ministério da Educação, onde têm como patrono e intransigente defensor o sr. Carlos Drummond de Andrade, chefe de gabinete do ministro. Expondo aos olhos de V. Excia. esses fatos, esperamos que V. Excia., defendendo o Tesouro Nacional e a honorabilidade de vosso governo do país, alente a arte nacional que ora atravessa uma crise dolorosíssima, próxima do desfalecimento.

Um ano após a derrota da Intentona Comunista, e com a enorme perseguição que a ela se seguiu, é fácil imaginar o efeito almejado através da imputação de tal crença a arquitetos modernos. Acusações desse tipo foram freqüentes durante a extensão da longa obra do MES. Eram, dentre outras alegações, apontadas semelhanças entre a forma em planta baixa do prédio e a foice e martelo soviéticos. Argumentos de similitudes formais de símbolos políticos com estilemas arquitetônicos são acionados, ao longo dos tempos, com ingenuidade e/ou truculência, quando a corrente acusadora começa a se configurar dominada, já não possuindo argumentos no terreno estritamente arquitetônico. A eficácia de tais denúncias dependerão da autonomia do campo, assim como da correlação de forças entre dominantes e dominados em seu interior.

Em maio de 1936, Costa apresenta o resultado do trabalho efetuado pela equipe – planta em forma de U, guardando grande semelhança com aquele apresentado no concurso por Moreira e Vasconcelos,[12] assim como a sugestão de que Le Corbusier fosse chamado como consultor do grupo nesse projeto e naquele referente à cidade universitária. Lucio Costa quis, certamente, respaldar a proposta de sua equipe, temendo que a ciranda de pareceres novamente desencadeada por Capanema pudesse vir a prejudicar a realização do projeto.

Em 15 de maio, Capanema havia ordenado que fossem ouvidos, em relação à conveniência higiênica, Domingos Cunha e Saturnino de Britto e, no que toca à qualidade do projeto, os arquitetos Ângelo Bruhns e Sousa Aguiar; o ministro Maurício Nabuco foi consultado em relação à adequação para uma organização racional dos serviços. O teor geral dos pareceres é de aprovação com ressalvas e sugestões. Algumas, entretanto, caso atendidas, descaracterizariam totalmente a "modernidade" do plano, sobretudo as que diziam respeito à eliminação de colunas nos espaços internos, à

12. O projeto do grupo possuía um corpo principal com sete pavimentos e subsolo, com afastamento máximo do alinhamento da rua, e dois blocos ortogonais, as "pernas do U", com cinco pavimentos sobre pilotis e um auditório independente, porém anexo ao bloco central.

substituição do grande pano de vidro por janelas convencionais e a supressão do *brise-soleil* na fachada norte. Produzem os arquitetos, no final de julho, um documento no qual comentam cada uma das ressalvas, defendendo as soluções adotadas e indicando as sugestões que poderiam ser atendidas – aquelas que envolviam apenas a criação de pequenos espaços como depósitos, gabinetes para diretores gerais etc.

O presidente Getúlio Vargas foi novamente convocado para o debate arquitetônico: Capanema declarou-se sem autonomia para convidar Le Corbusier, dependendo da anuência presidencial. O futuro urbanista de Brasília é levado pelo ministro à presença de Vargas que, segundo relato do arquiteto, "entre divertido e perplexo diante de tanta obstinação, acabou por concordar, como se cedesse a um capricho" (depoimento em 1989).

O esforço para concretizar uma colaboração interessante para os dois lados está assim registrado: "Já lhe disse antes: sua visita me custou um ano de defesas junto a Capanema, marchas e contramarchas – em suma, um verdadeiro milagre." (carta de Costa a Le Corbusier, em 31 dez 1936, apud Lissovski e Sá: 1987)

Para o arquiteto brasileiro e seu grupo, o apoio do mestre europeu era fundamental no sentido de legitimar sua atuação junto ao ministro Capanema e, com isso, assegurar a autoria das obras da sede do MES e da cidade universitária, na disputa com os acadêmicos e neocoloniais que, por seu turno, cortejavam o arquiteto italiano Marcello Piacentini. Transparece tal intenção de Costa em outra carta sua a Le Corbusier:

> Uma de suas tarefas junto ao ministro será dar-lhe sua opinião sobre o projeto do qual estou lhe enviando fotos. Se ele desagrada, diga-nos sem cerimônia mas, por favor, não diga secamente ao sr. Capanema: é feio... Eles não me compreenderam, pois aí estaríamos perdidos sem apelação, uma vez que os 'outros' já o condenaram e nós invocamos o seu testemunho... (apud op.cit.)

O arquiteto franco-suíço não poderia ter dado resposta mais entusiasmada à indagação da carta de Capanema sobre a qualidade do projeto: "Este projeto pode ser considerado, por seu valor arquitetônico, entre os melhores já feitos no mundo." (Arquivo Capanema, CPDOC/FGV)

Para Le Corbusier, mais conhecido, na época, como autor de livros e conferências do que como arquiteto de projetos realizados, a atuação no Brasil parecia a oportunidade de concretizar idéias não saídas da prancheta no estratificado campo francês de arquitetura, fortemente dominado pelos arquitetos da Escola de Belas Artes. Naquele país, os mestres de belas-artes encarregavam-se dos projetos governamentais mais importantes em Paris; os projetos nas colônias africanas e, por vezes, aqueles no interior da França eram legados aos jovens renovadores laureados com o *prix de Rome* pela mesma escola, reunidos na Sociedade Francesa de Arquitetos e Urbanistas (SFU).[13] A Le Corbusier, suíço de nascimento e formado por pequena faculdade em sua região natal, nada mais restavam senão pequenas encomendas de amigos intelectuais – residências de veraneio ou ateliês, no campo ou arredores de Paris.[14] O Brasil, país dominado simbolicamente pela França, porém sem ser sua colônia – livre, portanto, das divisões hierárquicas do seu "mercado de construções oficiais" – apresentava-lhe a chance de deixar sua condição de "escritor da vanguarda arquitetônica" para realizar projetos concretos em escala maior. O apoio de setores governamentais nos trópicos oferecia-lhe, por outro lado, a chance para demonstrar a universalidade de suas propostas, distante das dificuldades cada vez maiores de uma Europa às vésperas da guerra: "Será que chegou a hora de germinarem os grãos semeados na América do Sul?[15] ... O essencial é minha participação eventual na construção do novo Ministério de Instrução Pública. ... Fica, pois, entendido que ofereço minha colaboração com a mais viva satisfação e, dispondo vocês de uma nova legislação nacionalista, estou mesmo perfeitamente disposto a manter o anonimato, caso se considere útil." (Le Corbusier a Monteiro de Carvalho,[16] em 30 mar 1936 – apud op.cit.)

A vinda de Le Corbusier ao Brasil é oficialmente justificada como convite para um ciclo de palestras. Extra-oficialmente, ele vem atuar como consultor nos projetos da sede do Ministério e nos planos para a cidade universitária, sendo atendidas as suas ponderações: "Considero que seria uma honra, para um arquiteto como eu, encontrar, nessa paisagem magnífica, a oportunidade de situar uma obra de maturidade, capaz de demonstrar as possibilidades da arquitetura moderna... Estou em uma idade que não me permite deslocamentos para tão longe simplesmente para dar conferências

---

13. Os arquitetos do SFU (Agache, Auburtin, Bérard, Hébrard, Jausseley, Prost e Hénard) definiam-se como praticantes de uma arte francesa que constituía uma "terceira via" entre os arquitetos acadêmicos e aqueles de vanguarda. Nas palavras de Agache: "Le Corbusier é um homem que quebra as vidraças, um homem que faz correntes de ar, e nós, nós passamos depois." (apud Rabinow: 1982)

14. Le Corbusier construiu muito pouco, se comparado com Oscar Niemeyer e, ao contrário deste, teve a maior parte de seus projetos realizados por particulares. Até 1936, ano de sua vinda como consultor do plano da sede do MES, Le Corbusier havia construído, além de oito pequenos projetos na Suíça – dos quais cinco em sua pequena cidade natal –, 12 residências em Paris e subúrbio parisiense, uma residência e o conjunto de Péssac no interior francês.

15. Le Corbusier refere-se à sua viagem anterior, em 1929, na qual visitou e proferiu conferências de difusão do estilo moderno no Brasil, Argentina, Uruguai e Chile.

16. Monteiro de Carvalho, arquiteto de rica e tradicional família carioca, residia parte do ano em Paris e foi o intermediário de Capanema nos primeiros contatos com o mestre moderno.

a estudantes." (resposta ao convite de Capanema em 5 mai 1936; Arquivo Capanema, CPDOC/FGV)

Le Corbusier chega em 12 de junho ao Rio de Janeiro, onde permanece quatro semanas, trabalhando com a equipe brasileira no projeto do MES, efetuando o ciclo de conferências de seu contrato e prestando consultoria nos primeiros planos da cidade universitária. Apelida o projeto em U de "múmia", condena a simetria do conjunto e adota uma só lâmina esbelta no bloco principal, facilitando uma orientação mais adequada para os espaços. O bloco único, em pilotis, propicia, ainda, maior liberação do solo e acaba com a sugestão de pátio interno que várias alas poderiam evocar. Desdenha o terreno destinado ao prédio, propondo a construção à beira da baía de Guanabara, de modo a ser visto por aqueles que chegavam de navio, tornando-o um marco da cidade.[17] Elabora, antes de sua volta, outro croqui, dessa feita para o terreno da Esplanada do Castelo, onde o prédio é finalmente construído. É esse risco seu que servirá de base para o projeto final da equipe brasileira, obtido após uma série de modificações propostas, em sua quase totalidade, por Oscar Niemeyer.

Oscar Niemeyer foi o membro da equipe brasileira que mais tempo conviveu com Le Corbusier, pois ficava à sua disposição, como desenhista, no escritório onde trabalhavam, de propriedade do arquiteto Carlos Leão. É atribuída a tal convívio a surpresa da revelação do arquiteto: "... quem era o *enfant gaté* de Le Corbusier era o Oscar Niemeyer. Como era jovem e desenhava muito bem, Oscar Niemeyer passou a ser o 'sacristão' de Le Corbusier. Ele não fazia nada sem o Oscar. O Oscar convertia as suas idéias logo em desenhos. ... Cada dia Oscar Niemeyer crescia e desenvolvia mais sua capacidade." (Capanema, depoimento ao CPDOC/FGV, 1985)

Após a partida do mestre europeu, o futuro arquiteto de Brasília passa a ter ascendência sobre o grupo, solucionando os aspectos de maior relevo no projeto. Lucio Costa, reconhecendo tal liderança, retira-se, sem ressentimentos, do grupo; convoca-o, inclusive, para, junto com ele, projetarem o Pavilhão do Brasil na Feira de Nova York, em 1939. De acordo com Costa, "o maior legado de Le Corbusier foi o próprio Oscar Niemeyer, embora, me parece ter-lhe passado despercebido, também, em sua temporada brasileira, o enorme talento de Niemeyer. Perguntava-me sempre por Carlos Leão, o arquiteto do grupo que lhe causara melhor impressão: *Et Leon, comment va-t-il*?" (Costa: 1989).

Na historiografia arquitetônica, a "revelação" de Niemeyer, até então aluno medíocre e arquiteto discreto, é o ponto mágico de um momento

---

17. O terreno proposto por Le Corbusier situava-se onde hoje estão construídos a Casa d'Italia e a Maison de France.

mítico: Le Corbusier, como um Moisés, entrega as tábuas da "modernidade" a Oscar Niemeyer que, tocado pelo gênio do mestre, vê despertar a sua própria genialidade na condução do projeto da sede do MES, origem da arquitetura moderna brasileira, que obterá reconhecimento e prestígio internacionais. Segundo Bruand (1981), para Oscar Niemeyer, "cujas preocupações fundamentais eram já de ordem formal, o fato de constatar pessoalmente a importância que as mesmas tinham para Le Corbusier significou uma verdadeira libertação, possibilitando-lhe lançar-se audaciosamente pelo caminho que viria a torná-lo internacionalmente conhecido".

De 1935, ano da realização do concurso, até 1945, data de sua inauguração, longo embate é travado a respeito do prédio, transformado no objeto por excelência da disputa entre neocoloniais e modernos – tratava-se, afinal, de materializar obra monumental, da sede do ministério encarregado de traçar as diretrizes "culturais" da nação; o aval estético governamental é, portanto, disputado palmo a palmo.

Giravam as discussões em torno de três elementos: passado, vínculo com o Brasil e futuro. As duas correntes[18] reivindicavam para si o primado nesses três elementos. Os neocoloniais, ligados aos conservadores reformistas dos anos 20,[19] alegavam que, no culto à tradição colonial, localizava-se o nacionalismo da proposta. Por outro lado, a crença na tradição forneceria as raízes das quais brotaria o futuro, que para eles é essencialmente restaurador, devendo recuperar os valores de um Brasil pretérito: "A única estrada que nos conduzirá à verdade é a estrada do passado... A volta ao espírito tradicional da arte brasileira não significa uma homenagem fetichista ao passado esquecido, mas a volta ao bom-senso. ... Qualquer monumento colonial representa um esforço muito maior do que as arapucas de cimento armado, diante das quais nos extasiamos." (Marianno: 1943b)

Os modernos, por seu turno, alegavam que a leitura neocolonial do passado era superficial, estando restritas as suas construções a meros pastiches arquitetônicos. Examinada profundamente, forte ligação surgiria entre os princípios estruturais da arquitetura colonial e da moderna. No dizer de Lucio Costa (1931): "Admiro cada vez mais a arquitetura antiga e muito particularmente a nossa arquitetura antiga. ... Foi Bahia e Recife, foram as velhas cidades de Minas que, aos poucos, me abriram os olhos e me fizeram compreender a verdadeira arquitetura..." Apontavam seme-

18. Nesse momento, limitavam-se a duas as correntes arquitetônicas, uma vez que os acadêmicos passaram a apoiar e se confundir com os neocoloniais, autodesignando-se todos "tradicionalistas".

19. Em relação ao conservadorismo reformista dos anos 20, ver Lippi: 1986.

lhanças estruturais entre as casas "tradicionais" sobre estacas e o pilotis, a estrutura em madeira das casas coloniais era comparada ao esqueleto de concreto armado e relacionavam-se as grandes extensões caiadas da arquitetura "tradicional" à pureza do novo modo de construir. Dessa forma, a arquitetura moderna brasileira, embora característica de condições técnicas e sociais novas, se proporia a reinterpretar, através de uma leitura estrutural e de técnicas de seu tempo, a tradição construtiva brasileira. Essa argumentação, além de decisiva no caso da sede do MES, é central para outra grande vitória dos modernos: a criação e o domínio dos postos principais do Serviço do Patrimônio Histórico e Artístico Nacional.

A base teórica da retradução de valores, com vistas à formação de uma nova "identidade" nacional, era elaborada, no campo arquitetônico, por Lucio Costa, em consonância com os postulados modernos estabelecidos pela vanguarda literária da época – Oswald de Andrade e Mário de Andrade propugnavam, também, o casamento de uma vanguarda erudita com elementos tradicionais e populares. Pode ser cogitada, também, certa homologia das formas literárias e arquitetônicas dentro de um pensamento geral moderno. Seria possível, em *démarche* análoga àquela de Panofsky (1967) ao relacionar a forma das catedrais góticas ao pensamento escolástico, pensar-se relacionalmente as formas escritas e visuais da época. A concisão literária de Graciliano Ramos teria um correspondente nas estruturas simplificadas a partir da máxima de Mies van der Rohe "menos é mais", assim como o realismo e a busca da "verdade" literária associar-se-iam à aparência do prédio como a expressão de uma verdade estrutural. A reinvenção de linguagens universais aproximaria, ainda, alguns escritores como o Drummond da primeira fase e Oswald de Andrade das obras de Oscar Niemeyer.

A reivindicação do novo não era, contudo, exclusividade dos modernos: Correia de Araújo, professor, futuro diretor da Enba e partidário do neocolonial, escreveu a Capanema em 1937: "O moderno é a arte criando, bem diferente do modernismo, que é o conjunto de princípios em voga em certos meios que se julgam avançados." (apud Lissovski e Sá: 1986) Logram os modernos, entretanto, escapar dessa pecha de gratuidade inconseqüente, mostrando como o seu "novo" tem um vínculo com o "espírito do passado" e, ao mesmo tempo, com uma previsão "científica" do futuro. O elo com o passado não é acionado somente no que toca às raízes coloniais brasileiras. Lucio Costa refere-se às colunas do Partenon para refutar acusação do mesmo Correia de Araújo acerca da fragilidade simbólica da nova sede construída em pilotis, formando um ministério "sem bases". Uma antevisão do futuro é a argumentação central dos modernos, que, nas palavras de

Maquete do prédio ainda em apenas 10 pavimentos-tipo. Em destaque, a escultura "O homem brasileiro" de Celso Antônio, posteriormente abandonada.

A sede do Ministério da Educação na Exposição do Estado Novo, em 1938. Note-se ainda a presença da escultura "O homem brasileiro", de Celso Antônio.

Le Corbusier, estão construindo para uma nova era, com técnicas e princípios espaciais revolucionários.

Não é difícil avaliar o impacto positivo dessa argumentação em Capanema: em carta ao presidente Vargas, em 14 de junho de 1937, o ministro refere-se às obras de arte que seriam colocadas no prédio, destacando:

> ... a principal delas será a estátua do homem, do homem brasileiro. ... O homem estará sentado num soco. Será nu, como o *Penseur* de Rodin. Mas o seu aspecto será o da calma, do domínio, da afirmação. A estátua terá cerca de 11 metros de altura. ... A concepção, parece-me, é grandiosa. Há, na obra planejada, qualquer coisa de parecido com os colossos de Memon, em Tebas, ou com as estátuas do templo de Amon, em Karnak. ... A estátua ficará localizada numa grande área, em frente do edifício. O edifício e a estátua se completarão, de maneira exata e necessária. (Arquivo Capanema, CPDOC/FGV)

O ministro, entretanto, fica tão decepcionado ao ver o aspecto do "homem brasileiro" no esboço do escultor Celso Antônio – com feições sertanejas, barrigudo e de compleição pouco atlética –, que envia, em agosto de 1937, as seguintes perguntas a Oliveira Vianna, Roquete Pinto, Rocha Vaz (diretor do Instituto de Ciência da Individualidade) e Fróes da Fonseca: "Como será o corpo do homem brasileiro, do futuro homem brasileiro, não do homem vulgar ou inferior, mas do melhor exemplar da raça? Qual a sua altura? O seu volume? A sua cor? Como será a sua cabeça? A forma de seu rosto? A sua fisionomia?"

Todos respondem que o modelo deverá ser o homem branco. Para Roquete Pinto, "um dos Leucodermos; de preferência o moreno, que parece bem próximo do mediterrâneo, o branco mais facilmente aclimatado no país. ... Os meus estudos provaram que é para ele que tendem os outros tipos, mesmo mulatos e caboclos" (carta a Capanema, em 30 ago 1937). Rocha Vaz cita Oliveira Vianna e recomenda que o modelo deve representar "não só os tipos brancóides, resultantes da evolução arianizante dos nossos mestiços, como também representantes de todas as raças européias aqui afluentes, sejam os colonos aqui fixados, sejam os descendentes deles" (carta a Capanema, em 14 set 1937).

Roquete Pinto, em pequeno bilhete posterior, altera a posição do modelo até então concebida pelo ministro: "Penso que o homem brasileiro deve ser representado na posição de quem marcha... Sentado? Nunca." (Arquivo Capanema, CPDOC/FGV)

Celso Antônio, por sua vez, recusa-se a receber a comissão de cientistas para examinar se o seu trabalho "satisfaz plenamente o objetivo visado, que é a ereção de uma estátua do homem brasileiro" tomando como base estudos antropométricos rigorosos que previssem a feição futura do homem nacional.

Capanema reage, em ofício de 14 de dezembro de 1937:

> O Ministério não pode abrir mão de exercer essa fiscalização de maneira completa. ... Se, portanto, o escultor Celso Antônio se recusa a submeter o seu trabalho ao exame da comissão. ... o Ministério da Educação se vê obrigado a declarar sem mais efeito o entendimento celebrado com o mesmo escultor, o qual poderá continuar o seu trabalho no ateliê de propriedade federal, que ora ocupa, até que seja concluído, mas em caráter particular, isto é, o trabalho passa a ser uma criação livre do artista, e de sua exclusiva propriedade. (Arquivo Capanema, CPDOC/FGV)

Em 1 de fevereiro de 1938, o ministro "condena", definitivamente, o trabalho de Celso Antônio, solicitando que Mário de Andrade encomende a obra a Brecheret:

> Venho pedir a você um favor. Tudo confidencialmente. O trabalho que está sendo, aqui, elaborado, para a ereção da estátua do homem brasileiro, não me parece que chegará a bom termo. ... E julgo que terei que começar o trabalho de novo. Abrir concurso foi a primeira idéia. Mas concurso não tem dado certo aqui no Ministério. ... Você diga ao Brecheret, como coisa sua, que não faça trabalho estilizado nem decorativo. Seguir o rumo dos grandes escultores de hoje: Maillol, Despian etc. O homem estará sentado e deverá ser uma figura sólida, forte, de brasileiro. Nada de rapaz bonito. Um tipo moreno, de boa qualidade, com o semblante denunciando a inteligência, a elevação, a coragem, a capacidade de criar e realizar. Você imagine outras coisas que devam, ainda, ser ditas ao Brecheret e lhe dê o meu recado, sem lhe mostrar esta carta. (Arquivo Capanema, CPDOC/FGV)

Os arquitetos modernos ganham a disputa do MES, importante passo para o domínio do campo arquitetônico, argumentando que suas construções eram, a um só tempo, novas, nacionais e estruturalmente ligadas ao passado.

Vencido o embate das idéias, restava aos modernos provar, ainda, dois fatores: a funcionalidade de seu projeto e a adequação à "majestosidade" que a sede de um ministério deveria ter. Dúvidas quanto à funcionalidade eram colocadas por conta de ser o primeiro projeto mundial de um edifício moderno em grande porte com pano de vidro.[20] No que toca à praticidade, não foi muito difícil aos modernos, cuja corrente arquitetônica era chamada de funcionalista por alguns críticos internacionais, demonstrar a eficácia de seus

---

20. Lucio Costa dá o seguinte depoimento a esse respeito: "Quando levei o Oscar comigo a Nova York, em 1938, para fazer o Pavilhão do Brasil na Exposição Internacional, não havia lá nenhum edifício com fachada envidraçada e o Ministério da Educação já estava em construção, de modo que o Brasil antecipou a aplicação inovadora da chamada *curtain wall* ou *mur rideau*, *pan de verre*, como os franceses dizem. ... Essas fachadas envidraçadas que marcam o estilo americano para o público em geral, na realidade não foi nada americano, mas uma coisa européia e aplicada pela primeira vez no Brasil, na América do Sul, em escala monumental. Isso é muito significativo." (revista *Projeto*, out 1987)

Vista interna de um pavimento do MES, ainda durante a obra.

Detalhe da colunata do MES, nos acabamentos para a inauguração do prédio.

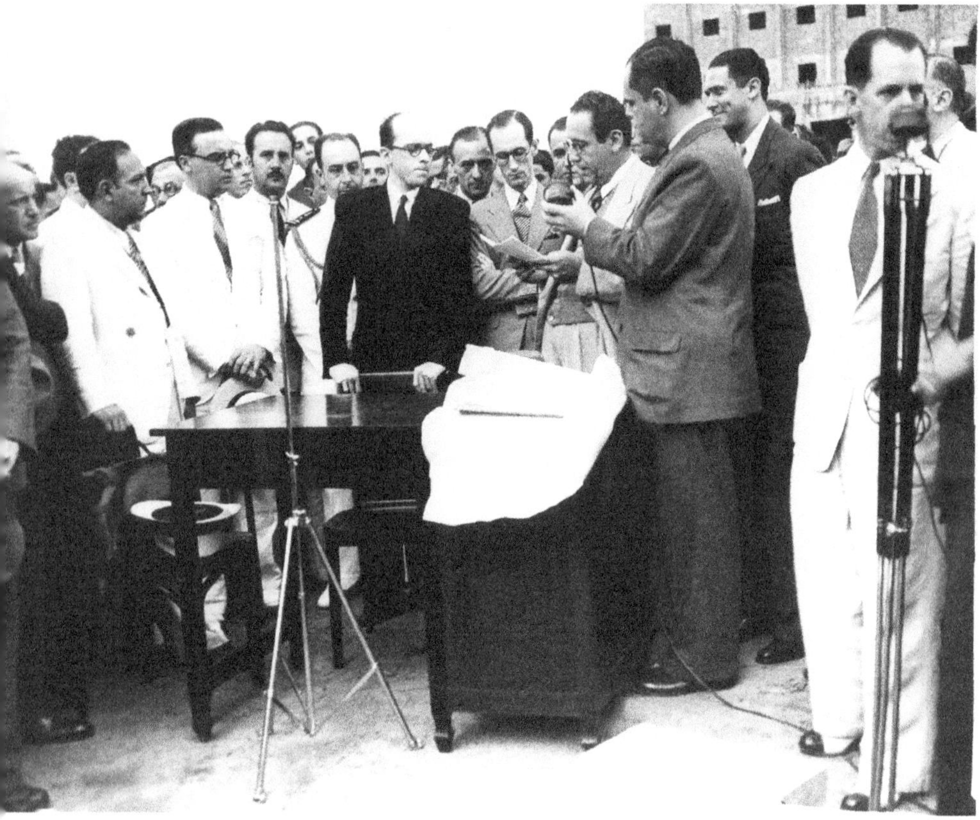

Roquete Pinto discursa, tendo à sua direita Carlos Drummond de Andrade e o ministro Gustavo Capanema, durante a cerimônia de lançamento da pedra fundamental do prédio do MES, em 24 de abril de 1937. Ao fundo, a obra da sede do Ministério do Trabalho.

Prédio do MES, tendo ao fundo a sede do Ministério do Trabalho.

prédios. Drummond registra, em seu diário, as impressões do primeiro dia de trabalho – 22 de abril de 1944 – no gabinete da sede recém-concluída:

> Dias de adaptação à luz intensa, natural, que substitui as lâmpadas acesas durante o dia; às divisões baixas de madeira, em lugar de paredes; aos móveis padronizados (antes, obedeciam à fantasia dos diretores ou ao acaso dos fornecimentos). Novos hábitos são ensaiados. Da falta de conforto durante anos devemos passar a condições ideais de trabalho. Abgar Renault resmunga discretamente: Prefiro o antigo... (Andrade: 1985)

A monumentalidade foi preocupação dominante no projeto da sede do MES, passando, inclusive, a ser uma das principais tônicas da atuação profissional dos arquitetos modernos brasileiros. Projetos de centros cívicos e monumentos ocupam o sexto lugar entre aqueles mais usuais na obra de Niemeyer. A procura da escala monumental está presente quase sempre, mesmo em tipos de prédios nos quais seria menos esperada, como é o caso das moradias populares. De acordo com Lucio Costa (1985), o projeto de Reidy para camadas populares, Pedregulho, é simbólico de como deveria morar a população trabalhadora: "... que a isto se reduz a arquitetura, por cuja graça o programa estritamente utilitário e funcional de habitação popular se transmuda em beleza, adquirindo sentido urbanístico e *monumental. Monumentalidade* prenunciadora de uma nova era, de maior equilíbrio, mais senso comum e lucidez." (grifos meus)

A idéia de fazer prédios exemplares e paradigmáticos é acionada como justificativa para a própria obra. Carmen Portinho, diretora do Departamento de Habitação Popular à época da construção do projeto de Reidy, assim defende a monumentalidade do empreendimento: "Pedregulho foi feito para chamar a atenção do mundo todo. Le Corbusier, em sua visita de 1962, fez os maiores elogios, dizendo jamais ter tido ocasião de fazer obra tão completa como a que realizamos." Resta, contudo, a indagação acerca do sentimento dos usuários de tais mensagens éticas modelares, que parecem ter como destinatários principais os próprios arquitetos.

A produção de uma obra monumental, no caso do MES, começa na própria ocupação do prédio, criando enorme praça na acanhada estrutura urbana das "ruas-corredores" no Centro do Rio de Janeiro. Tal efeito é obtido, também, com a verticalização do prédio em 14 pavimentos e a utilização de pilotis em escala monumental, contribuição de Oscar Niemeyer, que duplica a altura estabelecida por Le Corbusier para as colunas. O bloco do auditório, portaria e salão de exposições, desse modo, atravessa por baixo da lâmina vertical, sem interceptá-la, fazendo com que o espaço entre as colunas, embaixo desse grande bloco, funcione como parte coberta do jardim público criado pelo paisagista Roberto Burle Marx – utilizando, pela primeira vez, espécimes da flora nacional considerados, até então, pouco dignos para tal fim.

Lucio Costa estava ciente da necessidade de contornar alguns princípios de economia e simplicidade, advogados como justificativa ética da arquitetura moderna,[21] de modo que o edifício impusesse um ar de respeito próprio da sede de um ministério. Implicaria isso aplicar materiais luxuosos e obras de arte em vários pontos do prédio, sem ferir, entretanto, as linhas "puras", desprovidas de ornatos, que o caracterizavam como moderno: "A boa qualidade do material de acabamento, além de satisfazer às conveniências de uma aparência digna, resulta, afinal, com o tempo, em economia, porquanto sendo ele melhor, maior será a sua duração", afirma com habilidade Costa, em 1938, ciente da necessidade de conciliar, no jeito moderno de fazer monumentos, economia e luxo, simplicidade e imponência.

Portinari realizou um grande afresco sobre os principais ciclos econômicos da história brasileira na sala de reuniões anexa ao gabinete do ministro, além dos murais em azulejos azuis e brancos nas fachadas do térreo e nos pilotis – merecem esses painéis externos o poema "Azul e branco", de Manuel Bandeira. Celso Antônio, além do polêmico e descartado "homem brasileiro", efetuou escultura de nu feminino destinada, originalmente, ao terraço-jardim anexo à sala ministerial; Bruno Giorgi realizou escultura de um jovem casal, simbolizando a juventude brasileira – o escultor foi, à época, processado pela vedete Luz del Fuego, sob a alegação de ter se inspirado em suas formas sem lhe pedir permissão ou pagar *royalties*. O suíço Jacques Lipchitz tem a sua maquete, 27 vezes menor que o projeto pretendido, colocada na fachada curva do auditório – o anedotário popular passa a chamar a obra *Prometeu acorrentado* de *Batatais agarrando um frango*, lembrando o então goleiro do Fluminense e da seleção nacional de futebol.

Os arquitetos, na memória justificativa (texto em que explicam o plano arquitetônico), afirmam não terem realizado o projeto "em determinado estilo – o que seria lamentável – mas com 'estilo' no melhor sentido da palavra" (Arquivo Capanema, CPDOC/FGV). Fez parte desse "estilo" fornecer soluções engenhosas sem desobedecer, contudo, ao programa esperado, na época, para um prédio público: no saguão de entrada, por exemplo, dispuseram

21. Para Le Corbusier (1923), a eliminação de ornatos e a realização de casas em série tinham como princípio moral "um certo laço entre a habitação do rico e a do pobre, uma decência na habitação do rico". Jencks (1975) aponta como uma das falácias da arquitetura moderna a argumentação de que esta seria um estilo barato de construir. Cita o exemplo de Mies van der Rohe, cujo lema "menos é mais" advogava o uso de poucos elementos para obter mais beleza. Jencks mostra como Rohe se esmera no luxo e acabamento dos poucos materiais para alcançar mais rendimento estético, resultando em obras caríssimas.

uma enorme parede em tijolos de vidro que, além de iluminar o espaço, propicia sugestivo efeito plástico e reduz o obrigatório busto de Getúlio a um perfil surreal contra o painel de luz. Conseguiram, dessa forma, evitar o pesado oficialismo do qual o espaço poderia ter sido presa, sem deixar de atender à prescrição obrigatória para ministérios do Estado Novo. Lucio Costa, ainda na memória justificativa, finaliza: "O ministério a cujo cargo se acham os destinos da arte no país terá dado, assim – na construção da própria casa –, o exemplo a seguir, restituindo à arquitetura, depois de mais de um século de desnorteio, o verdadeiro rumo – fiel em seu espírito aos princípios tradicionais." (Arquivo Capanema, CPDOC/FGV)

Sofre o prédio, durante e após sua construção, fortes críticas:

> Era o único edifício moderno no Rio e era muito ridicularizado. A princípio a rea-ção era de combate. Fui, durante anos a fio, combatido, ridicularizado por todo o mundo. Aquele edifício era conhecido no Rio de Janeiro como 'Capanema Maru', nome que o povo lhe dava porque tinha a forma de navio, e 'Maru' eram os navios japoneses que freqüentavam muito o porto do Rio de Janeiro. (Capanema, depoimento ao CPDOC/FGV, 1985)

No plano internacional, entretanto, a reação positiva foi imediata. Atraídos pela repercussão do Pavilhão do Brasil na Feira de Nova York, projeto de Costa e Niemeyer, o arquiteto Philip Goodwin e o fotógrafo Kidder-Smith passam seis meses do ano de 1942 no Brasil, sob os auspícios do Instituto Norte-Americano de Arquitetos, de modo a preparar o bem-sucedido projeto "Brazil Builds", livro e exposição para o Moma, em Nova York.

O prédio do MES era a grande estrela da mostra, merecendo o seguinte comentário de Goodwin: "O Rio de Janeiro possui o mais belo edifício governamental do hemisfério ocidental, o Ministério da Educação e Saúde." (*New York Sun*, 15 jan 1943) No *New York Times*, sai elogioso artigo em sua edição de 13 de janeiro de 1943, ilustrado por foto do MES, com a seguinte legenda: "O prédio do Ministério da Educação e Saúde no Rio de Janeiro, considerado a mais avançada estrutura arquitetônica do mundo." "Brazil Builds" e outros aspectos das relações culturais e trocas arquitetônicas entre o Brasil e os EUA serão examinadas, em detalhes, na Parte IV, "O bom vizinho constrói".

A repercussão na Europa, possivelmente por conta da guerra mundial, demora um pouco mais: em setembro de 1947, a revista francesa *Architecture d'aujourd'hui* publica um número especial sobre a arquitetura moderna brasileira, destacando, em artigo de seis páginas, o prédio do MES. A vitória dos modernos no concurso de seleção desse projeto, na primazia de criação de um órgão de patrimônio e na afirmação de um discurso ético, elegendo a habitação popular como objeto privilegiado de atuação, torna-os dominantes no campo arquitetônico, havendo tecido argumentos em todos os flancos de

"Mulher sentada", escultura de Adriana Janacopulos.

Getúlio Vargas, Gustavo Capanema e outros admiram a escultura "Mulher reclinada", de Celso Antônio, no jardim privativo do ministro durante a inauguração do prédio do MES.

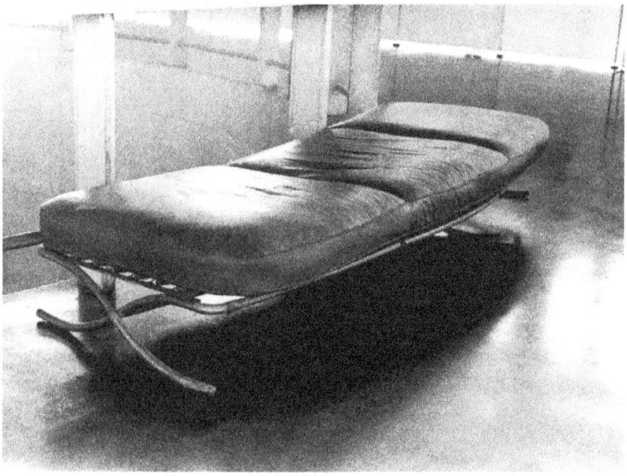

Móveis do MES desenhados pela equipe moderna, muito provavelmente por Lucio Costa e Oscar Niemeyer.

Ciclos econômicos na visão de Cândido Portinari.

Ministério da Educação e Saúde, apelidado pelos adversários na imprensa de "Capanema Maru": alusão jocosa à semelhança com os transatlânticos da linha Maru que faziam a ligação Brasil–Japão.

um debate retomado a partir de então em outros termos, constituindo novos enunciados para esse mesmo campo.

É fato significativo dessa vitória moderna que os livros sobre a história da arquitetura brasileira, a partir do final dos anos 40, discutam os outros movimentos sob a ótica dessa corrente. Desse modo, para Bruand (1981), "o estilo neocolonial constituiu-se numa transição necessária entre o ecletismo de caráter histórico, do qual era parte intrínseca, e o advento de um racionalismo moderno". O mesmo autor interpreta alguns aspectos positivos, encontrados no "execrável" ecletismo, como o "germe dos elementos de uma reação salutar que não demorou em se manifestar". Anacronismos estilísticos são, igualmente, cometidos por Lemos (1989), ao elogiar Victor Dubugras baseado em preocupações com a "verdade estrutural", um dos pontos centrais do ideário moderno, inexistente, entretanto, na época aludida: "Esse arquiteto teve um incrível senso de espaço, fazendo-o realmente decorrente de um muito bem definido sistema estrutural sempre aparente e não admitindo falsidades ou escamoteamentos, tão ao gosto de seus contemporâneos. ..."

Não é de estranhar que a corrente dominante conte a história a seu modo. Mais significativo é o fato de um próspero arquiteto, Wladimir Alves de Souza, professor catedrático da Faculdade de Arquitetura, membro de setores conservadores da profissão, atuante em projetos para as elites, relatar-nos assim a sua carreira: "Esforcei-me para fazer as coisas bem feitas, mas fiz coisa demais. Fiz o que não é considerado muito louvável: decoração e casas nos estilos que os clientes me pediam. Não consegui ser 'moderno'. Mas fiz dois projetos bem 'modernos': o do Banco Lar Brasileiro e a casa para abrigar a coleção moderna de Raimundo Castro Maia."

O reconhecimento da derrota está presente em artigo de José Marianno, antigo líder neocolonial: "Ora, se o próprio edifício do Ministério da Educação, que deveria ser o aparelho propulsor da cultura nacional, condena ostensivamente a arquitetura clássica, que esperanças poderão restar a nós, passadistas, sobre a conduta das gerações vindouras?" (*A Gazeta*, 22 set 1944)

Um último aspecto que talvez auxilie na compreensão da vitória dos modernos é a existência de inúmeros pontos coincidentes no ideário corbusiano e no discurso de intelectuais ligados ao Estado Novo. No Brasil, falava-se em "construção do homem novo", ao passo que Le Corbusier se referia a um "espírito novo" e à necessidade de criar novas mentalidades de morar. Para os intelectuais e ideólogos do Estado Novo, o trabalho seria "o meio por excelência da superação dos graves problemas socioeconômicos, a revalorização do homem para evitar o 'caos'" (cf. Gomes: 1982); no reformismo corbusiano, a categoria arquitetura substitui a categoria trabalho: "A engrenagem social, profundamente perturbada, oscila entre uma melhoria de importância histórica ou uma catástrofe. É uma questão de construção que está na chave do equilíbrio rompido hoje: arquitetura ou revolução." (Le Corbusier: 1923) O aspecto pedagógico novamente une o arquiteto e o discurso estado-novista: enquanto o primeiro quer "ensinar a morar", os ideólogos brasileiros falam em "civilizar por cima" (cf. Lippi: 1986). Outro ponto coincidente diz respeito à busca de homogeneidade: enquanto no Brasil buscava-se construir uma nacionalidade em oposição a regionalismos, o arquiteto franco-suíço almejava estilo internacional de larga aplicação, que terminasse com interpretações nacionalistas de construir.

A condição de dominantes acarreta, no caso dos modernos, a legitimação em face de largos setores governamentais. Produzem nova gama de questões no interior do campo arquitetônico e, ao mesmo tempo, "inventam" um ativo mercado de prédios públicos. O eixo de reconhecimento e prestígio profissionais é alterado, passando da academia para a atuação estatal – construção de cidades, monumentos ou estudos eruditos de patrimônio. A atividade universitária fica nas mãos de antigos acadêmicos ou neocoloniais "convertidos" que, sobretudo nos anos 50, defendiam em suas aulas os princípios modernos, enquanto executavam, geralmente para particulares, obras com outro caráter estilístico.

O setor do ensino foi o único no qual os tradicionalistas continuaram a dominar, mantendo ao largo os profissionais modernos. A Faculdade de Arquitetura da UFRJ não mantinha em seus quadros nenhum dos arquitetos considerados mais significativos da nova corrente. Affonso Eduardo Reidy perdeu o concurso para catedrático da cadeira de projeto, tendo sido escolhido o muito menos expressivo Paulo Camargo de Almeida. O crítico de arte Mário Pedrosa, com uma tese pioneira sobre arte abstrata e *gestalt*, depois internacionalmente reconhecida, foi preterido na cátedra de história da arte pelo político, dono de estabelecimentos de ensino e historiador Flexa Ribeiro.

O estilo moderno era, entretanto, pelo menos durante os anos 70, louvado nas aulas teóricas com diapositivos, efetuadas geralmente no Auditório Archimedes Memória, sendo dado especial destaque para o prédio do MES, apontado como ponto culminante de um processo evolutivo da arquitetura nacional.

A academia carioca parece – após haver rechaçado os modernos durante o episódio da recusa violenta, pela Congregação da Universidade do Brasil, de seus planos para a cidade universitária – ter criado um "modernismo sem modernos", mundo à parte, cujo acesso e regras somente os acadêmicos dominavam:

> O Sérgio Bernardes chegou a dar algumas aulas, mas era um farsante... O Affonso Reidy era um rapaz de inteligência extraordinária, de extremo bom-gosto, magnífica arquitetura, mas fez um concurso lamentável... Lucio Costa detestava o magistério e não quis ensinar. Era incapaz de dar uma conferência, de fazer um discurso, de elaborar uma explanação verbal... (depoimento de Wladimir Alves de Souza em 1989)

CAPÍTULO 3

Ministério da Fazenda

O processo de escolha do projeto e construção da sede do Ministério da Fazenda (MF), embora com resultado diverso, foi muito semelhante àquele do Ministério da Educação e Saúde. Em 1934, na gestão do ministro Artur da Souza Costa, foi autorizada, pelo presidente Getúlio Vargas, no bojo do esforço para a remodelação da cidade do Rio de Janeiro, a construção de um prédio que abrigasse todas as repartições subordinadas ao Ministério da Fazenda e Tribunal de Contas. Foi decidido que a nova sede seria edificada na esquina da avenida Passos com a travessa de Belas Artes. Para tanto, o edifício da Academia Real de Belas Artes, construído por Grandjean de Montigny, foi demolido por determinação do Governo.[1]

Em 1936, foi aberto concurso público para elaboração do projeto, no qual participaram 28 concorrentes do Rio e São Paulo. O júri era composto por José Belens de Almeida – diretor-geral da Fazenda Nacional e presidente da comissão julgadora –, Hilton Jésus Gadret – funcionário do Ministério e secretário da comissão – e os quatro engenheiros-arquitetos: Paulo Fragoso, Albino dos Santos Froufe, Aristides de F. Figueiredo e Magno de Carvalho. Paulo Fragoso era o engenheiro-calculista mais solicitado de sua época no Rio de Janeiro, sendo simpatizante do estilo moderno. Albino dos Santos Froufe era carioca e, igualmente, engenheiro-calculista. Magno de Carvalho, indicado como representante do Instituto Central dos Arquitetos, era um arquiteto neocolonial

1. A disputa do centro simbólico da cidade se dá aqui em sua face mais violenta: um prédio, antiga sede da escola mais importante do pólo artístico no século XIX, é demolido para ceder espaço à sede do órgão máximo do pólo econômico do Estado Novo. Do prédio demolido foi conservado apenas o seu pórtico, remontado pelo Sphan no Jardim Botânico do Rio de Janeiro.

Ministério
da Fazenda.

paulistano, sendo o seu projeto mais conhecido aquele da igreja Nossa Senhora do Brasil, no Jardim América. Aristides Figueiredo era arquiteto tradicionalista, professor da Escola Nacional de Belas Artes do Rio e um dos autores do projeto do novo prédio da Alfândega, construído a partir de 1940.

A décima reunião do júri, em 16 de dezembro de 1936, foi convocada por já haverem seus membros atribuído notas isoladas aos concorrentes, estando, assim, habilitados para o julgamento final:

> Foi explicado ao sr. diretor geral presidente da comissão o método adotado para apreciação dos trabalhos, o qual consistiu em apreciar cada projeto de *per si*, anotando-se os defeitos e as qualidades quanto ao partido, circulação nos diversos pavimentos, distribuição de elevadores, escadas e instalações sanitárias, orientação, insolação, distribuição das repartições e salas de trabalho, capacidade das mesmas, estrutura, área a construir e composição arquitetônica. ... A segunda preliminar referiu-se à apreciação ou não dos trabalhos que exorbitaram a área fixada no edital como sendo a máxima prevista para a construção. Por maioria dos votos ficou deliberado que a comissão concedia uma tolerância de cinco por cento de excesso sobre o total fixado no edital. (Ata da décima reunião do concurso de projetos para o edifício do Ministério da Fazenda; Arquivo do MF)

A undécima reunião da comissão, para o julgamento e classificação final dos anteprojetos apresentados, teve lugar no dia seguinte, 17 de dezembro de 1936: "Pelo engenheiro Magno de Carvalho foram lidas as observações que a maioria da comissão havia concordado em anotar sobre cada um dos trabalhos, as quais, verificou-se, coincidiam, salvo em ligeiros detalhes, com as de outros membros da comissão." Segundo essas observações, os projetos que "reuniam maior número de qualidades eram os de número 5, 6, 7 e 8", dos quais passamos a transcrever as apreciações:

> **Projeto 5 (Wladimir Alves de Souza e Enéas Silva):**
> Partido bom; ótima circulação no primeiro pavimento e boa nos demais; boa colocação dos elevadores; boa iluminação, exceto nos halls superiores que precisam ser iluminados através dos elevadores; insolação bem estudada; rampa para acesso aos pavimentos inconvenientes; estrutura bem distribuída, exceto no corpo avançado; superfície total: vinte e nove mil e trezentos metros quadrados, inclusive sobreloja; composição arquitetônica regular na fachada principal e boa nas demais.
>
> **Projeto 6 (Oscar Niemeyer, Jorge Moreira e José de Souza Reis):**
> ... bom partido; boa circulação no primeiro pavimento; separação de circulação do público e dos funcionários nos demais pavimentos; insolação estudada convenientemente; pouca iluminação nas salas orientadas para Este e obrigação de serem divididas por meias paredes e balcões; boa estrutura; superfície total a construir: trinta mil e quatrocentos metros quadrados; composição arquitetônica: sofrível.

> **Projeto 7 (F.F. Saldanha, Carlos Porto e Tupy Brack):**
> ... bom partido; boa circulação no primeiro pavimento; boa colocação de elevadores; ótima colocação de escadas; boa localização de instalações sanitárias; boa circulação nos pavimentos; sobreloja auxiliar no primeiro pavimento; boa iluminação; insolação bem estudada; boa estrutura; superfície total a construir: trinta e dois mil e quatrocentos metros quadrados; excedeu ao gabarito da planta de situação; composição arquitetônica muito boa.
>
> **Projeto 8 (Paulo de Camargo de Almeida):**
> ... bom partido; boa circulação; boa iluminação; rampas de acesso aos pavimentos inconvenientes; insolação bem estudada; estrutura boa, exceto no segundo e terceiro pavimentos; superfície a construir: trinta e quatro mil e seiscentos metros quadrados, aproximadamente; composição arquitetônica boa; projeto de estrutura de todos os pavimentos: não pedida. (Ata da décima primeira reunião do concurso de projetos para o edifício do Ministério da Fazenda; Arquivo do MF)

Apesar da apreciação positiva de suas qualidades, foram desclassificados, por exceder em mais de 5% a área construída fixada, os projetos 7 e 8. A eliminação do projeto de Saldanha, Porto e Brack teve a oposição de Magno de Carvalho e Fragoso, que fizeram a seguinte declaração de voto:

> ... em suas opiniões o projeto número 7, embora exorbite um pouco em área, é o que apresenta maior número de qualidades, tendo demonstrado o seu autor perfeita compreensão do assunto ... conseguiu dar ao edifício o aspecto monumental indispensável a um palácio ministerial. Assim considerando que a finalidade do concurso é indicar ao Ministério da Fazenda um bom arquiteto votam, não obstante ter o projeto ... desobedecido um pouco ao edital, pela sua classificação em primeiro lugar.

O engenheiro Froufe concorda com os dois colegas do júri mas "votava, pesaroso, pela sua desclassificação em vista do edital" (op.cit.).

Tendo restado apenas dois planos – os de números 5 e 6 – e sendo três os prêmios a serem conferidos, "foi, de acordo com as notas da comissão, indicado unanimemente o de número um (1) para entrar no cotejo final". O plano 1 (Rafael Galvão) havia obtido as seguintes apreciações:

> ... bom partido; boa circulação no primeiro pavimento e regular nos demais; instalações sanitárias do público e dos funcionários impropriamente colocadas; espera dos elevadores em local de circulação; algumas salas fracamente iluminadas devido à composição arquitetônica das fachadas; insolação inconveniente em algumas salas orientadas para Norte e Oeste, porém bem cuidada na maioria; estrutura antieconômica; composição arquitetônica sem originalidade; superfície de acordo com o edital. (op.cit.)

Foi proposto pelo jurado Fragoso, e aceito pela comissão, um sistema de média ponderada para o julgamento final, que consistia em que os jurados, individualmente, atribuíssem a cada trabalho uma nota de zero a dez em sete itens, que teriam diferentes pesos: partido (2,5), circulação (2), orientação (1,5), instalações sanitárias e das repartições (1,5), estrutura (1), composição arquitetônica (1) e cumprimento do edital (0,5).

Aristides Figueiredo declarou que "embora estivesse de acordo com o sistema proposto de conferir-se notas" votava pela desclassificação de todos, pois "nenhum dos concorrentes conseguiu satisfazer plenamente as condições exigidas para a construção do edifício do Ministério da Fazenda". Fragoso pediu "que ficasse consignado em ata o seu protesto e a sua estranheza pelo fato de ter o engenheiro Aristides somente externado essa opinião naquela ocasião", sendo apoiado por Magno de Carvalho e Froufe (op.cit.).

Antes de iniciada a votação, Paulo Fragoso declarou que:

> ... em virtude de haver atualmente *duas escolas de arquitetura que se combatem* e ser ele *partidário decidido de uma delas*, se considerava suspeito para opinar a respeito do item "composição arquitetônica" e assim sendo para que sua opinião pessoal não viesse a influir no resultado final e, apesar de não ter o edital estipulado preferência por qualquer escola, resolvia acompanhar sempre, nesse item, o voto do representante do Instituto de Arquitetos do Brasil. (op.cit., grifos meus)

Encerradas todas as discussões, procedeu-se à votação que confere a vitória ao projeto de número 5 (Wladimir Alves de Souza e Enéas Silva), com média ponderada de 7,54; em segundo lugar, o projeto 6 (Oscar Niemeyer, Jorge Moreira e José de Souza Reis), com a média de 7,31 e, finalmente, em terceiro, aquele de número 1 (Rafael Galvão), com 5,49 de média. O trabalho da equipe de Niemeyer obteve a maior nota de todo o certame no item estrutura (9,6), assim como foi considerado o melhor no que toca à circulação (8,2), havendo sido superado por aquele de Alves de Souza e Enéas Silva no que toca a partido (7,4 contra 7,0), instalações (7,2 contra 6,4) e, sobretudo, orientação (8,8 contra 7,2) e composição arquitetônica (6,4 contra 5,0).

O item partido arquitetônico (peso 2,5) concerne à avaliação global da filosofia projetual, e composição arquitetônica (peso 1), ao julgamento estético das formas adotadas: são, portanto, aqueles que implicam valoração de escolhas estilísticas. Acompanhar os votos dos jurados nesses pontos é revelador de suas tendências e simpatias: Aristides Figueiredo, que, anteriormente, havia solicitado a anulação de todo o concurso, confere a nota mais alta de composição arquitetônica ao projeto neoclássico de Rafael Galvão (6,0); a mais baixa de todo o concurso àquele de Niemeyer e equipe (3,0), e uma nota intermediária (4,0) ao projeto moderno mais convencional vencedor. Gadret, representante do Ministério da Fazenda, acompanha-lhe os votos em relação aos projetos de Galvão (6,0) e Niemeyer e equipe (3,0), conferindo 7,0 ao plano de Alves de Souza e Enéas Silva. Paulo Fragoso, após se declarar impedido de opinar quanto à composição, "trai" suas simpatias modernistas ao conferir, no quesito partido arquitetônico, a nota 8,0 aos trabalhos modernos e 6,0 ao neoclássico de Galvão. Froufe privilegia os dois projetos modernos, conferindo-lhes o grau 8,0 em relação a partido, e 6,0 ao projeto de Galvão; no que toca à composição, atribui 7,0 aos primeiros e 4,0 àquele neoclássico. Magno de Carvalho, representante do Instituto de Arquitetos, valoriza a proposta "intermediária" de Alves de Souza e parceiro (nota 7,0 em partido e em composição) e rejeita os extremos, atribuindo notas mais baixas (6,0 nos dois itens) ao projeto inovador de Niemeyer e equipe, assim como ao tradicionalista, de Rafael Galvão (6,0 em partido e 4,0 em composição).

No dia 19 de dezembro de 1936, realiza-se uma décima segunda reunião, desta feita na presença de autoridades e imprensa, para a divulgação dos resultados e atribuição dos três prêmios, além das menções honrosas conferidas aos trabalhos 7 (Firmino Saldanha, Carlos Porto e Tupy Brack) e 8 (Paulo Camargo de Almeida).

A revista *A Casa*[2] publica, em seu primeiro número de 1937, artigo sobre a exposição dos projetos premiados no concurso: "Mais um edifício ministerial vai surgir. O velho pardieiro em que, durante muitos anos, funcionou o Ministério da Fazenda será dentro em breve demolido, para no mesmo local se construir um novo edifício dotado de instalações modernas e higiênicas." Pela primeira vez, uma publicação rende-se ao universo modernista, buscando englobar todos os projetos nesse rótulo, mesmo que atribuindo categorias eufêmicas aos estilos não modernos: propostas francamente neoclássicas são rebatizadas "modernas de espírito clássico": "De início cabe assinalar as duas tendências que se verificam no gênero da arquitetura: o moderno dentro do espírito clássico e o moderno revolucionário, preconizado por Le Corbusier. Venceu a última." Assim se refere ao projeto de Niemeyer, Moreira e Reis: "É o trabalho mais moderno que vimos na exposição. Não se trata, positivamente, do *snobismo* comum dos espíritos imitadores. Os autores do projeto em apreço estudaram racional e lealmente a sua arquitetura. Daí aque-

2. *A Casa*, revista de arquitetura e engenharia, foi fundada como órgão oficial da Associação de Construtores Civis do Rio de Janeiro em 1923, havendo sido publicada até finais da década de 1940. Não possuía uma orientação de estilos definida, nela convivendo artigos técnicos de construções e topografia com projetos de tendências diversas nas áreas de urbanismo e arte decorativa.

le vasto 'brise-soleil' de 80 metros, como se fosse um mastodôntico radiador de automóvel" (grifos originais). É conferido destaque ao projeto neoclássico de Galvão – colaborador freqüente da revista –, o único a merecer ilustração de sua fachada no artigo:

> Rafael Galvão compôs a sua arquitetura no classicismo helênico das grandes composições públicas de que os americanos são os arautos. Não podemos dizer qual das duas correntes deve ser preferida. Se o neoclássico diz bem com o caráter monumental pela sobriedade e distinção de linhas, nem por isso o espírito da arquitetura moderna, preocupada com o equilíbrio do conjunto, é menos adequado a esse gênero de edifícios públicos.

Em relação ao projeto vencedor, de Alves de Souza e Enéas Silva, observa o artigo: "Desenvolvido em linhas modernas de feição racional, predominando na fachada principal o 'brise-soleil', motivo, de resto, preferido por quase todos que lograram classificação."

O projeto vencedor, com altura de nove pavimentos e planta em forma de H, continha estilemas típicos e obrigatórios de um prédio moderno. Na descrição de Alves de Souza:[3] "É fácil de se ver que o nosso projeto era decididamente moderno, com uma fachada em grande plano envidraçado, com 'brise-soleil', formando um corpo central e nas alas laterais uma sucessão de faixas horizontais contrastando em sentido vertical do centro." (in Souza: 1983; grifos meus)

Da análise da foto, assim como do relato de Alves de Souza, podemos notar algumas limitações e gafes estilísticas: o pilotis é usado pelos modernos para liberar o solo da ocupação do prédio e, desse modo, acabar com a demarcação rígida interior/exterior, fazendo com que a área do térreo se integre ao espaço urbano e, por conseqüência, à circulação de pedestres. Trata-se de criar espécie de "praça coberta", espaço de passagem ou permanência, no caso de prédios públicos. No projeto em questão, o uso do pilotis é formal e tímido, propiciando, apenas, pequena marquise sobre a calçada.

A utilização, na mesma fachada, de grandes superfícies envidraçadas, ao lado do *brise-soleil*, é uma antinomia estilística. O pano de vidro é indicado para a fachada que não recebe sol em nenhum momento do dia (a fachada sul no caso do nosso hemisfério); o *brise-soleil*, espécie de veneziana externa fixa, é empregado nas faces do prédio submetidas a forte insolação (fachadas

---

3. Nenhuma planta dos projetos do concurso está arquivada no Arquivo do Ministério da Fazenda. Inexiste, igualmente, uma vez que não foi edificado, registro na prefeitura. Enéas Silva está morto e Alves de Souza declara não possuir qualquer cópia: "É uma pena, mas com cinqüenta anos de profissão meu arquivo tornou-se uma coisa tão gigantesca que fui obrigado a destruir a maior parte. Devolvi os trabalhos mais importantes aos clientes e outros, não realizados, eu simplesmente destruí." (in Souza: 1983)

norte e oeste no hemisfério sul). Pano de vidro e *brise-soleil*, juntos, na mesma fachada são inadmissíveis: o uso de um exclui, obrigatoriamente, o outro.

A composição de volumes de Alves de Souza e Enéas Silva é convencional em sua simetria: o bloco central, avançado, forma um grande pórtico, elemento do vocabulário neoclássico ao qual se opunha o movimento moderno.

Para o ministro Souza Costa, homem pouco afeito a sutilezas estéticas, as características neoclássicas passaram despercebidas, parecendo-lhe o projeto muito novo e despojado. Incompatível, portanto, com seu intento de fazer "o mais belo monumento arquitetônico da linda capital do Brasil" (discurso na inauguração da sede; in Souza: 1983). A desistência de construir o projeto vencedor chega a público através de entrevista do ministro, em 18 de novembro de 1937:

> Um projeto da Câmara havia determinado que o novo Ministério fosse feito no local do antigo. Era lei que devia se cumprir. ... Mas, agora, no novo regime o governo está à vontade para atender melhor ao interesse público. Aquela lei não será mais cumprida. Vai ser escolhido novo local para o Ministério da Fazenda. ... O projeto era para um edifício de nove pavimentos e subsolo com entrada principal pela travessa de Belas Artes. ... Agora, como é natural, será modificado de acordo com a configuração do terreno, para que possa abrigar todas as repartições da Fazenda, com a exceção da Alfândega e de outros serviços autônomos. (*A Noite*, 18 nov 1937)

O ministro faz pagar aos arquitetos a quantia referente ao primeiro lugar no concurso, mas não assina o contrato para seu desenvolvimento e execução. Resolve, igualmente, rever a área necessária para as instalações da sede do Ministério, que passa a atingir cem mil metros quadrados, superfície quatro vezes maior do que aquela estipulada no concurso. Obtém, em permuta com a prefeitura, novo terreno na Esplanada do Castelo e o pretexto técnico do qual precisava para justificar a necessidade de um novo projeto.

Sofrem ainda Alves de Souza e Enéas Silva outra rejeição: a do grupo moderno, que, ao contrário do caso do MES', não faz qualquer movimento em sua defesa. Para entendimento mais abrangente desse silêncio, talvez não bastem as gafes conservadoras do projeto. É importante relacionar tais "ruídos estilísticos" à análise sociológica das condições de pertencimento ao grupo moderno: acredito, baseado nas altíssimas posições ocupadas pelas famílias de Costa, Niemeyer, Reidy, Moreira e Leão, que, para integrar o grupo moderno, seria preciso bem mais do que livres escolhas estético-estilísticas.

A alta origem social não era privilégio único do grupo moderno, mas da maioria dos alunos de arquitetura da Enba (ver Durand: 1989). As famílias dos modernos talvez se diferenciassem das dos líderes acadêmicos e neoclássicos

Desenho do Ministério da Fazenda, concurso de anteprojetos.

Maquete da fachada principal e pórtico do Ministério da Fazenda.

Salão e guichês no térreo: a aparência de uma estação de trens traduzia o desejo de demonstrar eficácia e pontualidade nos serviços.

Obras para a realização do monumento ao Barão do Rio Branco, em 1941.
Ao fundo, os ministérios do Trabalho, já inaugurado, e o da Fazenda, ainda em obras.

Colunata do Ministério da Fazenda.

Entrada do Ministério da Fazenda.

por estarem no Rio de Janeiro há pelo menos uma geração, possuindo grandes capitais econômicos e, sobretudo, sociais e culturais. A Gustavo Barroso, Archimedes Memória, Alves de Souza e José Marianno não faltava capital econômico, pois pertenciam a abastadas famílias da "província" – Ceará, os dois primeiros, Pará e Pernambuco, respectivamente; havendo se mudado jovens para o Rio, possuíam, nesse sentido, menores capitais sociais e culturais do que Costa, Niemeyer, Moreira e Reidy (sobre diferenças entre famílias dominantes do centro e da periferia/interior, ver Bourdieu: 1989 e Charle: 1987).

Para a elaboração do novo plano é criado, em setembro de 1938, no âmbito dos quadros do próprio Ministério, um escritório técnico formado por seis arquitetos e quatro engenheiros-civis.[4] A chefia-executiva é delegada ao engenheiro Ary Fontoura de Azambuja, e a responsabilidade pela feitura do projeto, ao arquiteto Luiz Eduardo Frias de Moura.

O engenheiro Azambuja, amigo pessoal do ministro, assim discorre sobre o seu trabalho no comando da comissão:

> Manifestei-lhe o meu ponto de vista contrário à constituição de uma comissão composta de membros com idênticas faculdades deliberativas. ... Uma comissão, teoricamente a forma ideal de cooperação, constitui, na prática, um fator de perturbação e dispersão de iniciativas especialmente no caso particular de um problema técnico que implica, essencialmente, unidade de direção. (Relatório de construção do edifício-sede do Ministério da Fazenda, 1944)

Depois de estabelecida a adoção do estilo neoclássico, por escolha do grupo em reunião com o ministro, o arquiteto Luiz Moura teve a seu encargo a elaboração e feitura dos projetos arquitetônicos e respectivos detalhes artísticos e construtivos. Submetia-os, entretanto, durante todo o processo, à apreciação de seus colegas de comissão e ao próprio Souza Costa.

A autonomia de Moura no projeto parece haver sido muito pequena. Alcides da Rocha Miranda relata que um de seus encontros com Moura se deu quando este finalizava os desenhos do anteprojeto do prédio:

> Ele estava bastante aborrecido, pois havia, junto com toda a equipe, passado noites insones para concluir os desenhos. Quando estava quase tudo pronto, chegou o ministro ao escritório, retirando de seu paletó uma foto de uma construção neoclássica italiana, dizendo: "É assim que eu quero a fachada." Toda a fachada teve que ser refeita para atender aos anseios ministeriais. (depoimento em set 1989)

---

4. A comissão de construção estava constituída pelos engenheiros Ary Fontoura de Azambuja (chefe), Homero Duarte, Petronio Barcelos e Liberato Pinto (responsável pela administração), além dos arquitetos Luiz de Moura (responsável pelo projeto), Edgard Fonseca, Luiz Paulo Flores, Luiz Vilela, Otto Raulino e Rubens Torres.

Estabelece o novo projeto a ocupação global do terreno pelo prédio, à semelhança de seu congênere do Trabalho, a partir da consideração de que "o da Fazenda, de todos os ministérios, é o que mais tende a crescer, exigindo, de início, o aproveitamento integral da área de terreno do pavimento térreo e a criação de blocos independentes nos andares superiores, cuja construção pudesse ser levada a efeito parceladamente, de acordo com as necessidades futuras de instalação" (Relatório de construção do edifício-sede do Ministério da Fazenda, 1944).

À fachada para a atual avenida Presidente Antônio Carlos foi dado tratamento especial, de modo a caracterizá-la como a principal entrada do prédio. A monumentalidade foi perseguida com a adoção de um pórtico em mármore branco, no estilo dórico primitivo, colunatas de 9,5 metros de altura e escadarias em mármore, inspiradas no Partenon de Atenas (cf. depoimento do engenheiro Azambuja). Para ornamentar a escadaria principal, estavam previstas "quatro estátuas de mármore, em harmonia com a suntuosidade da colunata". Mas, deparou-se a comissão com "um imprevisto irremovível. Obra de valor, em estatuária, forçaria mais um concurso, entre artistas, cujo resultado, encomenda e execução demandariam tempo, escasso e precioso ..." (ofício de Azambuja ao ministro, 31 mai 1943; Arquivo do MF). Resolvem, então, adotar candelabros de bronze, concebidos pela firma de Oreste Fabbri: duas piras do mesmo material, com os pés em forma de leão, e os quatro postes – com cinco luminárias cada, em estilo vagamente rococó e escala bastante discutível – foram distribuídos ao longo da escadaria, completando a justaposição estilística da fachada.

A composição da fachada principal desrespeita, contudo, os cânones dóricos aos quais almejaria se reportar. Faltam elementos à colunata, e as proporções são incorretas. As piras de bronze e postes de iluminação guardam, entre si, estranha relação de escala: os postes são muito pequenos e as piras excessivamente grandes.

O pavimento térreo, destinado a atendimento público, é ligado às ruas do quarteirão que ocupa através de quatro grandes escadarias. Uma extensa galeria, revestida em mármore, medindo 70 metros de comprimento por 10 de largura, permite o acesso aos elevadores e aos 186 guichês de atendimento do andar térreo. Para ornamentar as galerias de ligação, foi promovido um concurso entre escultores – tendo como júri escolhido Oswaldo Teixeira, José Marianno e Attilio Corrêa Lima – para realizar uma série de baixos-relevos simbolizando as principais fontes de renda do país.[5] O vencedor foi Humberto Cozzo, professor de escultura na Enba, que realizou seus painéis, "modelados de uma forma clássica", de acordo com a seguinte concepção: "As 16 métopas do lado esquerdo representando as forças naturais; as outras 16 métopas correspondentes à parte direita do edifício as forças espirituais, industriais e comerciais. A métopa central, para onde convergem as laterais, terá uma composição representando o Estado Novo, chave e força propulsora do progresso nacional." (carta-proposta de Humberto Cozzo a dr. Ary Azambuja, em 21 ago 1941; Arquivo do MF) As forças econômicas naturais enfocadas são: borracha, cacau, algodão, café, trigo, mate, carvão, ferro, petróleo, pesca, açúcar, gado vacum, gado cavalar, gado caprino, pomicultura, avicultura e ouro. As forças espirituais referem-se à pintura, escultura, gravura, arquitetura, música e dança, literatura, cerâmica, teatro, siderurgia, indústria têxtil, manufatura, aviação, comércio terrestre, comércio marítimo, ciências e construção naval.

A outra peça de escultura que completa o conjunto disposto no rés-do-chão é o busto em bronze, "maior que o tamanho natural, em modelo exclusivo para o Ministério da Fazenda", do presidente Getúlio Vargas, criação do escultor e professor da Enba Hildegardo Leão Velloso, segundo colocado no concurso para os baixos-relevos (cf. carta do artista a dr. Ary Azambuja em 18 abr 1943; Arquivo do MF).

O espaço interno do andar térreo foi projetado nos moldes em que se construíam terminais de estradas de ferro, inspirado, sobretudo, naquela de Milão, projeto de Piacentini. Balcões de mármore e guichês com grades de ferro trabalhadas ocupam todo o perímetro desse pavimento. Abóbadas em tijolos de vidro fornecem iluminação natural, proveniente dos vãos entre os blocos verticais do edifício. O acesso à sobreloja é garantido por duas imponentes escadas helicoidais – próprias do vocabulário moderno – que se encontram, em flagrante contradição estilística, ornamentadas por gradis de ferro e encimadas por vistosos lustres de bronze.

Uma das críticas mais veiculadas à época dizia respeito ao luxo excessivo das novas construções ministeriais, com ênfase especial para a sede da Fazenda. No relatório final da construção, preocupa-se Azambuja em fazer a defesa de certos materiais:

> O Ministério da Fazenda, contrariamente ao que pensam muitos, não é um edifício de luxo. Há nele, por exemplo, abundância de mármores. ... As despesas feitas com revestimentos de mármore de finalidade puramente decorativa representam percentagem insignificante no conjunto. ... Se os halls e galerias têm lambris de mármore, isso se deve à necessidade de proteger as paredes em

5. Os concorrentes puderam escolher os três jurados na lista de 12 nomes aprovados pelo ministro Souza Costa: Oswaldo Teixeira, Augusto Bracet, Henrique Cintra e Manoel Constantino, pintores; Paulo Pires, Angelo Murgel, Ricardo Antunes, Firmino Saldanha e Attilio Corrêa Lima, arquitetos; Petrus Verdié, escultor; Herbert Moses, jornalista; José Marianno Filho, escritor e crítico de arte.

locais de trânsito intenso, pois a prática e a experiência têm demonstrado sobejamente que, nos edifícios públicos, o revestimento comum em pintura acarreta vultosa despesa de conservação. ... (Relatório de construção do edifício-sede do Ministério da Fazenda; Arquivo do MF)

Os pavimentos-tipo, destinados a trabalho burocrático interno, são distribuídos em cinco blocos verticais, projetados em planta-livre, um dos princípios fundamentais da arquitetura moderna: a estrutura independente – sistema de pilares, vigas e lajes – responsabiliza-se pela sustentação do prédio; as paredes, liberadas dessa função, tornam-se elementos meramente divisórios, podendo ser dispostas de acordo com o desejo do usuário. As galerias de circulação foram dispostas com orientação para noroeste, de modo a proteger os escritórios da maior incidência solar. A leitura dos espaços internos desses pavimentos, projetados com preocupações de ordem funcionais, não fornece nenhum indício da abundante justaposição estilística de suas fachadas e área de visitação pública.

É comentado hoje, entre arquitetos e funcionários lotados nos prédios do Ministério da Fazenda e no da Educação, que o primeiro é mais bem aerado, iluminado e possui melhor circulação vertical que o segundo. Não deixa de ser irônico tal fato, pois, muito mais do que a beleza plástica, a funcionalidade era a característica mais apregoada pelos modernos na defesa do seu projeto. Hoje, o atual Palácio da Cultura Gustavo Capanema reina inconteste, mas somente no que toca à magnificência de suas formas.

Não deve, entretanto, ser a melhor adequação ao clima tomada como virtude dos estilos eclético ou neoclássico. Os andares-tipo da sede da Fazenda foram tratados de acordo com os princípios funcionais modernos, possivelmente com maior propriedade e melhores resultados que os obtidos no MES.

O Salão Nobre, localizado no 10º andar, retoma, com maior luxo e pompa, a bricolagem de estilos do térreo e sobreloja. Destinado aos atos solenes da vida do Ministério, "servia às festividades e recepções promovidas pelo ministro, especialmente para homenagear as comissões de nações estrangeiras que visitam constantemente o Brasil" (depoimento do engenheiro Azambuja). A decoração do recinto foi elaborada em estilo Luís XVI, contando com exuberantes lustres de cristal oferecidos pelo Banco do Brasil. Completam o ambiente, colocados em pedestais simulando seções de colunas gregas, bustos em bronze do presidente Getúlio Vargas, do ministro Souza Costa e de D. João VI, D. Pedro I, D. Pedro II e Caxias.

No 14º pavimento, último do edifício, localizava-se o Setor de Administração do Ministério, um salão de refeições para 360 pessoas, salas destinadas a serviço médico e a uma estação radiotransmissora, além de um terraço-

Vista geral dos três ministérios: à esquerda, o do Trabalho, com o da Educação e Saúde atrás; à direita, o da Fazenda.

Lampadário com as armas da República nos pórticos do Ministério da Fazenda. Sua pequena escala contrasta com o gigantismo das colunas.

Vista, a partir do térreo, do vazio da escada em forma de concha: presença de um elemento modernista no prédio da Fazenda.

Escultura de Humberto Cozzo e painéis de Paulo Werneck: temática indianista no terraço-jardim.

Os vazios entre os blocos fornecem uma proteção contra o sol e propiciam uma boa ventilação nos andares-tipo.

Salão nobre do Ministério da Fazenda, decorado no que se pretendia ser um "estilo Luís XV".

jardim com refinado equipamento: uma fonte que recebia água de carrancas ligadas ao reservatório de água superior – conjunto de autoria do próprio arquiteto Luiz Moura. Cinco painéis em mosaicos, representando lendas indígenas brasileiras, estão dispostos nas empenas em volta da fonte. Ladeiam a composição duas esculturas, fundidas em cerâmica vitrificada, simbolizando a mulher e o homem nativos brasileiros. Aparecem ambos em situação de domínio da natureza: a índia, lânguida, ornamentada por colar e protegida por tanga, segura a cabeça de fálica serpente; o índio, viril, aperta o pescoço de grande felino cujas feições, já domesticadas, assemelham-se às de um reles gato.

Fazia parte do anedotário carioca, à época da inauguração do prédio, que a profissão mais cobiçada no Brasil era a de administrador do Ministério da Fazenda, por conta do fausto de seu escritório, no terraço-jardim. Havia, por trás da jocosidade, um clima de indignação e fantasia, pois a ostentação estava longe dos olhos de quase todos. A presença da fonte, no terraço-jardim, adquire caráter emblemático, atraindo como um ímã o fascínio e o ódio. Fascínio por elemento tão distinto e mágico: repuxo permanente desafiando a lei da gravidade soava como algo similar aos jardins suspensos da Babilônia. Ódio pela inacessibilidade de tal maravilha.

Na edição comemorativa dos 40 anos de construção do prédio, *Arte no Palácio da Fazenda* (Souza: 1983), é evidente a irritação do engenheiro Azambuja, ainda em 1983, quando indagado sobre o terraço e a fonte.

O terraço-jardim é um elemento básico das construções modernas da época. Aparece aqui ornamentado com temas nativos, outra preocupação desse estilo, havendo sido chamado para execução dos painéis o artista Paulo Werneck, que costumava trabalhar em edificações realizadas por aquele grupo. Relata ele, assim, a sua participação na execução dos painéis: "Luiz me disse: 'você é da corrente moderna mas sabe desenhar' ... recusou, gentilmente, meus primeiros estudos: 'Estão muito avançados. Sei que você pode fazer uma coisa mais de acordo com o estilo do prédio.' E assim fiz." (in Souza: 1983)

A própria localização do terraço – no alto do prédio, distante dos olhos do público –, assim como a sua condição de jardim, fornecem a possibilidade de ser exercida em estilo próximo ao moderno a metáfora vanguardista do domínio da natureza pelo povo brasileiro, sem comprometer o estilo acadêmico que prevalecia no resto do edifício.

O estilo da sede, ao contrário do que uma leitura precipitada poderia induzir, é muito menos monoliticamente neoclássico do que louvado por seus autores e atacado por seus críticos. O prédio é eclético no sentido etimológico do termo: o estilo varia de acordo com o uso e visibilidade dos espaços. Os múltiplos "investimentos", aliados a erros grosseiros de escala e composição, traduzem a pouca segurança estilística de seus autores. Os elementos externos, de visão mais ampla, são, de fato, predominantemente neoclássicos, e a sua pesada volumetria carrega influência da arquitetura praticada na Itália fascista. Os pavimentos de atendimento ao público assemelham-se aos espaços de uma eficiente estação de estrada de ferro européia da época – o tom de brasilidade é conferido pelos painéis alusivos a ciclos econômicos nacionais. Os andares destinados a trabalho burocrático interno são de tal ascetismo que não destoariam se localizados em prédio funcionalista da Bauhaus. O salão nobre, espécie de vitrine de auto-apresentação do ministro para as elites nacionais e delegações estrangeiras em situações solenes, foi concretizado em livre interpretação do estilo Luís XVI. No terraço-jardim, tentaram-se aproximações com o vocabulário moderno.

Tamanha balbúrdia estilística despertou a curiosidade do público, o desprezo dos arquitetos modernos e o louvor presidencial:

> Ao inaugurar este sólido e imponente edifício, sede condigna do Ministério da Fazenda, obra em que a capacidade construtiva, a clara inteligência e o gosto da ordem do ministro Souza Costa mais uma vez se revelaram, quero congratular-me convosco, porque assim podeis verificar, através desses argumentos irrespondíveis em cimento e ferro, como a administração progride e quanto se interessa pelos programas de organização técnica dos serviços, da eficiência e bem-estar do funcionalismo. (discurso de Getúlio Vargas na cerimônia de inauguração do prédio, em 10 nov 1943)

CAPÍTULO 4

Ministério do Trabalho

A sede do Ministério do Trabalho é a mais antiga e discreta de suas congêneres na Esplanada do Castelo. Construída de 1936 a 1938, sem a realização de concurso público, não suscitou polêmicas maiores a respeito de seu aspecto estilístico. O único registro de sua existência por livros de história da arquitetura não lhe é muito lisonjeiro: "Os enormes blocos de forma cúbica ou em paralelepípedo, com fachadas despojadas, sem molduras ou ornamentos, do Ministério da Guerra e do Trabalho são exemplos significativos desses edifícios utilitários que não tinham o menor interesse estético. ..." (Bruand: 1981)

A pouca importância atribuída ao prédio é, entretanto, inversamente proporcional ao papel desempenhado por esse ministério no governo Vargas. O Ministério do Trabalho, Indústria e Comércio foi criado em 1930 para regular todas as questões trabalhistas que envolviam o desenvolvimento industrial; até então, o Ministério da Agricultura tratava da política trabalhista, com orientação próxima àquela exposta por Washington Luís em sua campanha à presidência da República, na qual pregava ser a questão operária um fato que interessa mais à ordem pública que à ordem social.

De acordo com Getúlio Vargas, ao Ministério do Trabalho estava destinada a função de cuidar do presente do homem brasileiro. Cuidar do presente envolvia, fundamentalmente, regulamentar os direitos do trabalhador, incentivar uma nascente industrialização no país, assim como cuidar daquela categoria que seria uma das principais sustentações de seu governo: os trabalhadores do Brasil.

O primeiro ministro nomeado para a pasta foi Lindolfo Collor, gaúcho de São Leopoldo, farmacêutico formado, proprietário de jornal, "revolucionário" em 1930 e antigo

Sede do Ministério do Trabalho.

colega de Getúlio na Escola de Altos Estudos Sociais, Jurídicos e Econômicos do Rio de Janeiro.

O Ministério do Trabalho instalou-se no mesmo prédio onde funcionava o Conselho Nacional do Trabalho, ocupando, ainda, dependências do edifício da Escola Politécnica, que lhe era vizinho. A equipe do Ministério do Trabalho foi composta por antigos precursores do direito social – Joaquim Pimenta e Evaristo de Morais –, assim como por Jorge Street, empresário paulista que se notabilizara pelos melhoramentos sociais introduzidos em sua fábrica. Na gestão de Collor, formaram-se as bases das leis posteriormente reunidas na Consolidação das Leis do Trabalho (CLT). Uma das principais preocupações foi a de estabelecer novas regras para os sindicatos, trazendo-os para a órbita do direito público, sendo-lhes atribuído papel de "algodão entre cristais" na relação entre operários e patrões. Foi decretada a Lei do Brasileiro Nato em 1931, obrigando que dois terços dos trabalhadores de qualquer firma fossem nascidos no Brasil. Começaram a ser criadas caixas de aposentadoria para diversas categorias e foram regulamentadas as condições gerais de trabalho – duração de jornada, salário mínimo, trabalho de mulheres e de menores na indústria.

Em março de 1932, Lindolfo Collor demitiu-se do Ministério, sendo substituído, em abril, por Salgado Filho, gaúcho de Porto Alegre, advogado e delegado de polícia do Rio de Janeiro. Na gestão de Salgado Filho, continuaram as organizações dos sindicatos profissionais sob o controle do Estado, regulamentou-se o horário do comércio e foi instituída a carteira do trabalho. O seguro social foi organizado em caixas previdenciárias, por categorias funcionais de trabalhadores, sendo criados, também, vários institutos de aposentadorias e pensões.

Tratou-se, igualmente, de dotar o Ministério de sede própria: "Ao Sr. Salgado Filho deve-se o início dos estudos para a construção de um edifício onde condignamente, e de acordo com as necessidades dos seus múltiplos e variados serviços, pudesse ser instalado o Ministério do Trabalho." ("O Palácio do Trabalho", *Revista do Serviço Público*, jan 1939) Obteve, em 1933, um terreno na Esplanada do Castelo, e encarregou a seção de Engenharia do Conselho Nacional do Trabalho da tarefa de elaborar o projeto: foram produzidos dois anteprojetos e escolhido um para desenvolvimento, cuja concepção arquitetônica foi do arquiteto Mário dos Santos Maia, tendo no grupo os engenheiros Carlos de Andrade Ramos, chefe do setor, e Jayme de Araújo. O projeto, levado à aprovação da Diretoria de Obras da Prefeitura, foi recusado por ultrapassar a altura permitida para o local, de acordo com o plano de remodelação da cidade para aquela área. Houve, então, uma paralisação dos planos, somente retomados em 1935, na gestão do novo ministro, o pernambucano Agamenon Magalhães.

É negociada, entre os governos federal e municipal, a permuta por um terreno contíguo maior, de sorte que a futura edificação abrangesse toda uma quadra, permitindo a construção da área necessária para o Ministério sem que fosse desrespeitado o gabarito máximo para o local:

> ... foi então adotado o projeto definitivo da autoria do engenheiro-arquiteto Mário dos Santos e constituída uma comissão construtora composta do engenheiro Dulphe Pinheiro Machado, presidente, do engenheiro-arquiteto autor do projeto e dos engenheiros Edgard de Mello, Plínio de Catanhede Almeida, Flavio de Carvalho Lemgruber, Affonso Eduardo Reidy, representante da prefeitura do Distrito Federal, como membros e do sr. Antonio de Almeida como secretário. (op.cit.)

Mário dos Santos Maia, além de funcionário do Ministério, possuía uma das firmas mais atuantes em prédios de escritórios no Rio de Janeiro. Havia se formado pela Enba do Rio, no início dos anos 10, indo, logo depois de graduado, trabalhar por dois anos nos Estados Unidos. Em seu retorno, introduziu estilo inspirado nos arranha-céus daquele país, conhecido na época pela designação leiga de "estilo Manhattan" e, posteriormente, intitulado pelos arquitetos modernos de "moderno-estilizado".[1] As construções projetadas por Santos Maia, contando com 12 a 14 pavimentos, bastante altas para os padrões da época, caracterizavam-se por finas colunas verticais em concreto (nervuras), destacando-se da fachada revestida em pó-de-pedra, salpicada de pequenas janelas; as portarias e as fachadas correspondentes eram revestidas de mármore negro com motivos extraídos de vocabulário *art déco*. Os edifícios eram geralmente formados por vários blocos, cujas alturas diversas aludiam a um *skyline*, signo de um cosmopolitismo que almejavam alcançar – há vários edifícios de Santos Maia no Centro carioca, estando boa parte deles concentrada na avenida Beira-Mar.

A 1º de agosto de 1936, com a presença de Getúlio Vargas, do ministro Agamenon Magalhães e de "altas autoridades", foi lançada a pedra fundamental do Palácio, iniciando-se as obras a 20 de outubro daquele mesmo ano. A sede fica pronta em 24 meses, prazo bastante exíguo se comparado com os de seus vizinhos – a obra do MES consumiu seis anos (1938-44) e a

---

1. Santos Maia é citado por Lucio Costa (1980) entre os mais ativos profissionais cariocas da época. A designação "moderno estilizado" foi utilizada por Alcides da Rocha Miranda e Lucio Costa nas entrevistas que fiz em 1989 e 1992. Utilizam-no ao reconhecer alguns traços modernos no "estilo Manhattan", distinto, entretanto, do "verdadeiro moderno", aquele corbusiano.

da Fazenda, cinco (1938-43). O prédio do Ministério do Trabalho era, portanto, levantado enquanto ocorriam as disputas dos concursos dos outros ministérios e estava já inaugurado quando estes iniciaram a construção de suas respectivas sedes.

É assim descrito o projeto em artigo da *Revista do Serviço Público*:

> ... ocupando uma quadra de 4.480 metros quadrados de área, dá o edifício a sua frente principal para a avenida Aparício Borges[2] de 60 metros de largura; a fachada posterior voltando para a rua da Imprensa e os lados voltados para as ruas Araújo Porto Alegre e Pedro Lessa. Desde as primeiras cogitações para a confecção do projeto houve a preocupação de evitar áreas centrais, bem como a de situar o prédio segundo a melhor direção, ensejando-lhe boa iluminação e perfeita visibilidade. ... resultou um edifício em forma de H, do segundo pavimento pra cima, descansado sobre um paralelepípedo formado pelo andar térreo, subsolo e sobreloja. ... As fachadas sem nenhum 'décor' a não ser as linhas naturais de sua arquitetura têm apenas um revestimento em mármore negro que as circunda, em contraste à cor rosa pálida da pintura externa. ... As frentes principais, no segundo pavimento, abrem-se em terraços sobre as galerias. ... A iluminação geral do prédio nada deixa a desejar; é magnífica e deslumbrante. (*Revista do Serviço Público*, jan 1939)

O Palácio do Trabalho foi inaugurado no primeiro aniversário do Estado Novo, já pelo ministro Valdemar Falcão, sucessor de Magalhães, nomeado interventor de Pernambuco, na presença de Getúlio Vargas, em meio a apoteótico desfile de organizações sindicais na frente do prédio. Em seu discurso, dirigido ao presidente, acentua Falcão o caráter simbólico da "majestosa sede":

> ... a imagem concreta, nas linhas severas de sua construção, de como se implantou, cresceu e frutificou no Brasil a legislação social ... na *feição monumental* deste edifício, logo se *traduz o significado eloqüente que brota desse conjunto arquitetônico, harmonioso e sóbrio*: a vitória de todos quantos se empenharam em seu esforço patriótico no admirável aparelhamento de leis trabalhistas, que são a melhor couraça a premunir o Brasil contra os delírios extremistas de todos os matizes. (discurso de inauguração da sede do Ministério do Trabalho; Arquivo Valdemar Falcão, CPDOC/FGV; grifos meus)

A metáfora ministerial acerca da eqüidistância de extremismos na luta de classes parece ter sido igualmente obtida no que se refere às disputas do campo arquitetônico da época. Sua construção não despertou atenção nem traduziu vitória de um lado ou de outro. Conseguiu provocar, entre

---

2. Atual avenida Presidente Antônio Carlos.

Manifestação popular celebra a inauguração da sede do Ministério do Trabalho.

Getúlio Vargas e autoridades no mesmo evento.

Obra adiantada da sede do Ministério do Trabalho, tendo em frente o início da construção do prédio do MES.

O recém-inaugurado prédio do Ministério do Trabalho e o prédio do Ministério da Educação ainda em obras, em 1939.

Maquete iluminada da face posterior do Ministério do Trabalho.

Concentração popular em frente ao Ministério do Trabalho, no dia de sua inauguração.

acadêmicos, neocoloniais e modernos, sentimentos de reserva e certa indiferença. Para os primeiros, o aspecto despojado, desprovido de ornatos e referências a estilos pretéritos, lhes trazia desconforto. Os modernos julgavam correto o tratamento concedido às alas de circulação – na haste horizontal da planta em forma de H – alternando tiras de concreto e fitas de vidro com esquadrias em ferro; a sua rígida simetria e implantação direta no solo, ocupando toda a quadra, entretanto, era tipologicamente mais forte e traía fortes impulsos acadêmicos. Parte moderno, parte acadêmico, objeto não completamente identificado por nenhuma das correntes, o "Palácio do Trabalho" chega, até os dias de hoje, praticamente anônimo do ponto de vista arquitetônico.

No projeto para o Ministério do Trabalho, Santos Maia buscou aplicar os mesmos elementos de seus prédios de escritórios. Ocorre que neles uma das características primordiais era a verticalidade, que imprimia um tom de movimento e leveza a seus vários elementos. O edifício do Trabalho ocupa, em suas duas maiores fachadas, uma extensão de 60 metros, formando, por conseguinte, uma pesadíssima base horizontal. Para que essa massa fosse equilibrada a fim de se obter um efeito próximo ao de suas demais obras, a altura teria de ser descomunal – no mínimo cinco vezes maior do que aquela existente. Em sua forma final, por mais que todos os elementos lá estejam presentes, ninguém – arquiteto ou leigo – percebe a alusão aos *skylines* nova-iorquinos. A ligação geralmente feita entre o brutalismo da construção e o momento histórico no qual foi erguida relaciona-a à arquitetura fascista produzida na Itália de Mussolini. Muitos atribuem o seu despojamento ao fato de ter sido ele construído por último, quando a primeira fase do governo Vargas chegava ao fim e já não haveria mais recursos para finos acabamentos (como visto, o Ministério do Trabalho é, ao contrário, o mais antigo dos três vizinhos do Castelo). Arquitetos levantam a hipótese de ser ele uma cópia daquele da Fazenda, executado por mestres-de-obra (o mármore negro de sua base deve facilitar a associação, pois é "parente" do granito havana usado no Ministério da Fazenda). De acordo com Campofiorito: "Ele é fruto de um entendimento estreito, literal, do *slogan* 'forma segue função': o entendimento do ponto de vista do cálculo estrutural, sem a compreensão e apropriação plástica efetuada pelos arquitetos modernos." (depoimento em 1989)

Fim de festa varguista, cópia mal-executada por mestre-de-obras ou funcionalismo "sem anestesia" de engenheiros, o fato é que o prédio – apesar de pretender filiações mais amenas – ficou associado ao que se convencionou chamar de arquitetura do Estado Novo, tipologicamente ligada às formas fascistas italianas. Anterior aos ministérios da Guerra e da Fazenda, não é improvável que, ainda que almejasse apenas parecer cosmopolitamente norte-americano, tenha auxiliado a fixar cânones estéticos utilizados na implantação de prédios governamentais do período ditatorial de Getúlio Vargas.

Um olhar mais atento, contudo, aos ministérios e prédios públicos realizados com intuito de melhor abrigar seus serviços, marcar um novo estilo governamental e alterar a face da capital permite perceber que o Estado Novo não era tão monolítico quanto se poderia supor. O hábito de atribuir datas diferentes às três sedes ministeriais[3] apenas traduz o mal-estar em admitir tantas correntes e estilos diversos obtendo eco em um estado ditatorial, supostamente monolítico. Expressa, igualmente, a vitória do estilo moderno, uma vez que a enorme maioria atribui ao MES uma data mais recente, adotando-se a idéia de ser esse estilo um estágio evolutivo dos demais.

O exame acurado das sedes ministeriais terá, talvez, sua maior virtude ao nos colocar face a face com variadas correntes ideológicas e estilísticas, permitindo-nos perceber o Estado como um campo onde se movem múltiplas forças concorrenciais.

3. Pedi a 62 estudantes do segundo período do primeiro ano de arquitetura da Faculdade Santa Úrsula que colocassem em ordem cronológica crescente, por décadas, os prédios dos ministérios do Trabalho, da Fazenda e da Educação. Apenas seis alunos acreditavam que fossem os três da mesma década (quatro os situaram na década de 30 e dois nos anos 40). Vinte e dois alunos assim ordenaram os prédios: Fazenda nos anos 30, Trabalho nos 40 e Educação nos 60. Onze julgavam ser os da Fazenda e Trabalho contemporâneos dos anos 30 e o da Educação da década de 50. Dois acreditavam que os edifícios da Fazenda e do Trabalho eram do século passado e o da Educação foi situado nos anos 50 por um e nos 60 por outro. Quatro estudantes não responderam. Ou seja, somente cerca de 10% (seis alunos) opinaram sobre a contemporaneidade das três sedes de ministérios. Por volta de 21% (13 alunos) acreditavam ser da mesma época os prédios da Fazenda e do Trabalho e mais recente o da Educação. A maioria, 64% (39 alunos), considerava ser o da Fazenda o mais antigo, seguido pelo do Trabalho e pelo da Educação. Nenhum respondeu que o MES era mais antigo do que qualquer outro, corroborando a tese moderna de que este seria um estilo evoluído dos demais.

[PARTE II] Construindo o Passado

“Defender o nosso patrimônio histórico e artístico é alfabetização.”

Mário de Andrade

CAPÍTULO 5

Correntes Arquitetônicas e Patrimônio

Em 1936, o ministro Gustavo Capanema toma duas decisões que influenciam de forma decisiva as feições da "cultura" brasileira, tal como a conhecemos hoje. Como vimos, decide não construir o projeto em estilo marajoara de Archimedes Memória, vencedor do concurso público para a nova sede do Ministério da Educação e Saúde, e convida Lucio Costa, que, acompanhado de uma equipe moderna brasileira e com a consultoria de Le Corbusier, realiza um prédio que se tornaria um paradigma da arquitetura do século passado. Concomitantemente, encomenda a Mário de Andrade, então diretor do Departamento de Cultura de São Paulo, o anteprojeto de criação de um instituto destinado a "determinar, organizar, defender e propagar o patrimônio artístico nacional" (Andrade: 1936).

A razão da iniciativa de chamar Mário de Andrade, etnógrafo e um dos mais importantes escritores modernos, reside na convicção de que, no plano cultural,[1] esse grupo seria o mais apto a auxiliar na execução da principal tarefa do MES, a formação da mentalidade futura do homem brasileiro, a qual não estaria solidamente alicerçada caso não fosse igualmente estabelecido no presente o que importava do nosso passado (ver a esse respeito Schwartzman, Bomeny e Costa: 1984).

Em 1936, o ministério responsável pela seleção de uma estética para o Estado reconhece nos modernos a capacidade de erigir os novos monumentos, assim como os considera dignos de tornar digna, em nome do Estado, a produção do passado que será por ele protegida para a posteridade.

Telhado do Paço Imperial.

1. No plano da educação, prevalecem os pedagogos ligados à Ação Católica, sob a influência e a orientação de Alceu de Amoroso Lima (ver Schwartzman, Bomeny e Costa: 1984).

Visto de hoje, não é de admirar que os modernos, com o domínio de novas linguagens estruturais, adoção de novos objetos de atuação, bons contatos internacionais e o talento de Oscar Niemeyer, estivessem mais do que bem equipados para construir as formas de um Estado que se queria novo. Menos evidente, à primeira vista, é o seu triunfo, na disputa da gestão do patrimônio histórico e artístico, sobre correntes competidoras que pautavam suas atuações justamente por preocupações histórico-tradicionalistas.

A principal tendência concorrente aos modernos com vistas à gerência federal do patrimônio situava-se na Inspetoria de Monumentos Nacionais do Museu Histórico Nacional, dirigido por Gustavo Dodt Barroso.

O Museu Histórico Nacional (MHN), voltado para "o conhecimento da história pátria e o culto de nossas tradições", tem sua estrutura ampliada, após 12 anos de funcionamento, por decreto presidencial de 14 de julho de 1934, "atendendo a suas novas incumbências e às exigências do Curso de Museus". Passa a Casa a ter como função, além das atividades museológicas, a inspeção de monumentos nacionais e do comércio de objetos artísticos, como fixado em parágrafo único do referido decreto:

> Para os fins de inspeção, organizará um catálogo de edifícios de assinalado valor e interesse artístico-histórico existentes no país, propondo ao Governo Federal os que se devam declarar, em decreto, Monumentos Nacionais; entrará em entendimento com os governos dos Estados, no sentido de se uniformizar a legislação sobre a proteção e conservação dos Monumentos Nacionais, guarda e fiscalização dos objetos histórico-artísticos, de maneira a caber aos Estados os encargos desse serviço nos respectivos territórios. (in Anais do Museu Histórico Nacional, 1942)

A Inspetoria de Monumentos tem as circunstâncias de criação detalhadas pelo próprio Barroso (1942): "O ministro da Educação, dr. Washington Pires, influenciado pela exposição que lhe fiz, apoiado por seu chefe de gabinete Heitor de Faria, decidiu comigo numa noite a criação da Inspetoria de Monumentos Nacionais, primeiro organismo oficial no Brasil encarregado da defesa de nossos monumentos, posto sob a minha direção." Havendo mudado, naquele mesmo ano de 1934, o ministro e o chefe de gabinete – Gustavo Capanema e Carlos Drummond de Andrade, respectivamente –, funciona o setor durante três anos com pouco prestígio, nenhuma verba federal e atuação restrita a Ouro Preto, onde fiscaliza algumas obras efetuadas com recursos do estado de Minas Gerais.

Deixando transparecer amargura pela função perdida, Barroso faz publicar em 1942 nos Anais do MHN:

> Já é tempo do Museu Histórico Nacional documentar, para conhecimento público e perpétua defesa da verdade, sua constante e devotada ação na defesa do

> patrimônio histórico e artístico do país e no culto de sua tradição. Da diretoria do Museu partiu a idéia de defender os nossos monumentos nacionais... Foi essa Inspetoria de Monumentos Nacionais que o ministro Gustavo Capanema transformou em Serviço do Patrimônio Histórico e Artístico Nacional, ampliando seus quadros e atribuições.

É evidente exagero, entretanto, considerar a criação do Sphan, em 1937, mera ampliação de quadros e atribuições da Inspetoria de Monumentos. As próprias noções de patrimônio, nacionalidade e do universo a ser preservado distinguem o projeto de Mário de Andrade e modernistas:

> Vê-se logo que o nacionalismo é outro. Escolhendo-se, entre tantos, um volume referente a 1942, dos Anais do Museu Histórico Nacional, basta percorrer os títulos: A heráldica dos Vice-Reis, A louça blasonada (dos Barões, Condes, Marqueses etc.) no Museu, O culto da Virgem Maria na numismática, e daí por diante. ... A sua fundação em 1922 teria respondido a um artigo de Gustavo Barroso, empossado como primeiro (e quase vitalício) diretor que rezava: "O Brasil precisa de um museu onde se guardem objetos gloriosos... – espadas, canhões, lanças." O mesmo autor, no mesmo volume, considera como uma das tarefas de nossas forças armadas "destruir focos de fanatismo e desordem". Em comparação, já se vê o quanto o Sphan era aberto e progressista. (Campofiorito: 1985)

Outro ponto importante a destacar é que, contrariamente ao que ocorreu em relação à museologia – cujos cursos até hoje guardam muito de sua orientação –, Barroso não desenvolveu um corpo específico de idéias ou prática em relação a patrimônio, o que foi exatamente o caso dos modernos, em especial Mário de Andrade e Lucio Costa.

Mário de Andrade estabelece todo o escopo do patrimônio, abrangente o bastante para incluir a pluralidade das manifestações dos vários domínios e segmentos da sociedade brasileira, cujos exemplos mais significativos serão inscritos nos quatro Livros de Tombo: Belas-Artes; Arqueológico, Etnográfico e Paisagístico; Histórico; e, o último, aquele das Artes Aplicadas. O autor de *Macunaíma* realiza, ainda, várias monografias de reconhecido valor e originalidade sobre arquitetura, pintura e etnomusicologia – Aloísio Magalhães, ao criar a Promemória, na década de 1980, visando uma abrangência maior do conceito de patrimônio, teve como principal referência o pensamento de Andrade. Deve-se a Lucio Costa toda a conceituação das relações entre as arquiteturas pretérita e atual, como também das intervenções em centros históricos e, ainda, monografias e um estudo das influências portuguesas eruditas e populares no mobiliário e na arquitetura do Brasil colônia.

O pensamento de Gustavo Barroso, autor de mais de uma centena de títulos, tem a sua síntese em *O quarto império* (1935), personalíssima história da humanidade associada a ciclos ou impérios zodiacais. O quarto império, aquele do integralismo, seria o do Cordeiro (ariano):

> Os homens dessa geração são os precursores do Novo Império arbitral, do Império do Cordeiro, da Quarta Igreja, da Quarta Humanidade. Anunciaram a Boa-Nova ao povo brasileiro e irão, cumprindo seu destino, dormir o sono eterno, levando nos olhos a imagem maravilhosa do Brasil do Futuro, do Brasil-Integral, que as gerações novas, mais integralistas do que eles, sem eiva das peçonhas do século XIX, saberão acabar de construir.

Em suas páginas, Barroso faz uma apologia do arianismo, do "Estado Forte", do nacional-socialismo e de Mussolini e do fascismo, ao mesmo tempo que busca razões históricas contra a raça judaica. Alguns trechos de *O quarto império* exemplificam os pontos de vista de Barroso. Sobre os judeus:

> O espírito judaico não se presta, nem nunca se prestou a nenhuma grande organização civil, militar ou religiosa. A história do povo de Israel demonstra sua incapacidade em criar um Estado. ... Dividido e disperso, o judeu leva, contra as civilizações onde penetra, o ódio da impotência e o messianismo político social.
>
> Sobre o arianismo:
> Pode-se dizer que o característico moral da raça branca é o altruísmo. Daí sua monogamia quase geral, sua sociabilidade e sua vocação para os apostolados. ... Com essa força, a raça ariana, cujo símbolo será o Carneiro, Áries, motivo heráldico determinado por motivos astronômicos, entrará na História e construirá o maior dos Impérios, não sobre o sangue e as angústias dos povos esmagados mas sobre as bases eternas do Espírito.

Sobre o Estado Forte, cita o seguinte texto: "... os ignorantes ou os de má-fé confundem com ditadura, quando ele nada mais é do que o Estado reforçado contra os indivíduos, os grupos e os cartéis, tanto os políticos quanto os financeiros e econômicos, reforçado não mecanicamente mas moralmente (Josef Targowski, *Tradition et Révolution dans le Rythme de la Vie*)."

A respeito da primeira e frustrada tentativa fascista de assumir o poder na Itália:

> Deus dirige a História: Mussolini foi a Joana d'Arc desse momento histórico. ... a glória do fascismo de Mussolini jamais se apagará. Num mundo desorganizado e desvirilizado, avelhantado e entorpecido, ele fez ressoar o canto ardente da mocidade, ele criou uma mística fervorosa, ele despertou o entusiasmo e ele proclamou a morte do liberalismo burguês.

Sobre o nacional-socialismo, cita Jean Edouard Spenlé: "O nacional-socialismo não se apresenta como uma fórmula da vida política mas como um

O ministro Gustavo Capanema discursa na presença de Getúlio Vargas e outros durante a cerimônia de inauguração da nova sede do Museu Histórico Nacional, em 15 de julho de 1945. Da esquerda para a direita: Antonio Leal Costa (1º), Gustavo Capanema (3º), Getúlio Vargas (4º), Cândido Rondon (5º) e Gustavo Barroso (6º).

plano de regeneração total, tanto física como material, econômica, racial, moral e religiosa, verdadeira visão de conjunto de mundo. É uma fé."

A corrente neocolonial foi a principal competidora dos modernos pela primazia da condução oficial da renovação arquitetônica nacional e pelo estudo do passado nacional. No Rio de Janeiro, o neocolonial encontrou em José Marianno o seu mais entusiasmado e ardoroso defensor, utilizando este todo o seu empenho e fortuna pessoal na propagação do estilo.

O sucesso do neocolonial na Exposição Internacional do Centenário, em 1922, fez com que obtivesse apoio oficial declarado, afirmando-se como o estilo nacional por excelência: o símbolo da emancipação artística, nas comemorações da emancipação política. Em 1926, quando o Ministério da Agricultura instituiu um concurso para a escolha do Pavilhão do Brasil na Exposição de Filadélfia, a primeira condição do programa era a adoção do neocolonial. O projeto vencedor, irrealizado, foi o de Lucio Costa que, na primeira juventude, antes da conversão ao modernismo, era o arquiteto mais promissor da corrente neocolonial e o preferido de seu líder, José Marianno.

Em relação ao patrimônio, Marianno propõe a criação de um Museu de Arte Retrospectiva. Destinar-se-ia este ao culto da arte tradicional com o programa de:

> ... reconstituir pacientemente através dos documentos arquitetônicos das épocas respectivas as grandes etapas da arquitetura, da pintura e da escultura brasileira, caracterizadas pelas três grandes fases de sua evolução artística: a colonial, desde a colonização até D. João VI; as fases seguintes de transição do primeiro e segundo império, com o estudo paralelo da arquitetura interior (mobiliário, artes menores) correspondente a cada um desses períodos. (Marianno: 1943c)

Sugere, ainda, a criação da Inspetoria de Monumentos Públicos para "amparar o patrimônio artístico da nação", defendendo a desapropriação por utilidade pública dos "grandes edifícios característicos da arquitetura civil e religiosa que nos chegaram do passado".

Inconformado com a construção de uma sede moderna para o Ministério da Educação e Saúde e, sobretudo, com a criação de um Serviço de Patrimônio dominado pela mesma corrente, Marianno, que assinava uma coluna em jornal carioca, foi o mais ferrenho e constante adversário público daquele grupo. De suas crônicas e ensaios, reunidos no volume *Debates sobre estética e urbanismo* (1943a), retiro algumas de suas opiniões.

Contra a atuação de arquitetos estrangeiros: "Toda a obra de reconstituição do estilo passado está sendo feita por jovens arquitetos brasileiros, cheios de fé e entusiasmo pela sua pátria. A campanha em prol da arte arquitetônica nacional, hoje vitoriosa em todo o Brasil, é uma nobre campanha de nacionalismo."

Crítica à construção do Hotel de Ouro Preto, de Oscar Niemeyer: "Essa gente que induziu o ministro Capanema a encampar doutrinas antinacionalistas de Le Corbusier é a mesma que impôs à legendária Vila Rica um hotel moderno, com balcões de cimento e cobertura lajeada."

Referências aos modernos: "literatos extremistas", "maçonaria futurista", "derrotistas universais", "judeus sem pátria", "antinacionalistas mulatos" (referindo-se, sobretudo, a Carlos Drummond, Mário de Andrade, Le Corbusier e Lucio Costa, seu alvo predileto, a quem nunca perdoou a conversão ao modernismo).

Escola Nacional de Belas Artes: "Ou corrigimos o título, que passaria a se chamar 'Escola Francesa de Belas Artes', ou lhe mudamos radicalmente a orientação de sociedade propagadora da arte francesa."

Passado: "A única estrada que nos conduzirá à verdade é a estrada do passado. Volvamos o espírito para trás e contemplemos o imenso patrimônio de arte legado por nossos avós." "O passado é o pesadelo do presente."

Gustavo Capanema: "Esteta de Pitangui."

Construção de escolas em estilo moderno:

> Estava organizada a quadrilha que ia explorar a indústria de edifícios públicos, com a senha de Le Corbusier. Se para envenenar o cérebro fulgente do ministro Capanema foi necessária uma turma inteira de poetas inimigos do estilo colonial, para dominar o cérebro opaco do prefeito Pedro Ernesto bastou a presença do comunista Anísio Teixeira. As escolas municipais, que vinham se expressando de acordo com o sentimento arquitetônico nacional, passaram a ser compostas no estilo "funcional". E o arquiteto Enéas Silva pesteou a cidade com uma série de escolas verdes e encarnadas, recomendáveis por serem de baixo custo, posto que inabitáveis.

Século XVIII: "O século áureo da arte nacional."

Século XIX: "Foi o século da negação artística à obra do passado."

José Marianno assim reage ao aparecimento da primeira revista do Sphan:

Dentre as muitas e justificadas surpresas que me causaram a luxuosa publicação número 1, do Serviço do Patrimônio Artístico e Histórico da Nação, devo destacar a transcrição aureolada de referências elogiosas, de várias sentenças enfáticas do arquiteto Sr. Lucio Costa, nas quais ele se permite fazer conjecturas sobre o mérito da arquitetura tradicional brasileira que ele cobrira de anátemas coruscantes, quando, para se encarapitar na direção da Enba teve de fazer a apostasia da doutrina que abraçara ... como se explica que em pleno sucesso da lucrativa carreira extratradicionalista, volte aquele senhor a reconsiderar a mísera arte do passado ... foi por certo um desserviço à causa tradicional a *reentrée* inesperada desse cavalheiro sem consciência dos próprios atos que ora está à direita, ora à esquerda, conforme lhe sopra o vento da fortuna. ("Aumentando a confusão", *Diário de Notícias*, 7 nov 1937)

Um terceiro pólo, ligado ao que poderíamos chamar de "direita getulista", atuava na Escola Nacional de Belas Artes, ao redor de seu diretor, o pintor acadêmico Oswaldo Teixeira, tendo em Carlos Maul o seu principal ideólogo e divulgador. A Enba, embora não possuísse mais o monopólio da orientação dos cânones artísticos, era ainda bastante influente e desempenhava papel de principal pólo antagônico aos modernos, no que diz respeito a padrões artísticos. Germanófilo, membro da Academia Fluminense de Letras, autor do livro de poesia *Ave Germânia*, assim discorre Maul sobre o modernismo em seu livro *O Rio da bela época*: "Muita gente pensa que conhece o modernismo... Mas não conhece o lado podre do movimento que corrompeu várias gerações e pretendeu, com a força que lhe deram elementos graduados do mundo financeiro, destruir tudo o que se edificara num passado de mais de um século para a afirmação moral e espiritual da Nação."

Em resumo, o Patrimônio Artístico e Histórico dos modernos tinha como fortes antagonistas institucionais, na vertente da história, o MHN de Gustavo Barroso, e no plano artístico, o MNBA de Teixeira e Maul. Já os neocoloniais disputavam com os modernos a primazia pela renovação e nova interpretação de um passado normalmente desprezado pelos acadêmicos da Escola Nacional de Belas Artes, ironicamente apelidada, por José Marianno, de Escola Francesa de Belas Artes. Esses acadêmicos tinham em seus discursos referências a noções de raça e nação emprestadas à lusofobia de Tobias Barreto, a Oliveira Viana e aos membros da escola Nina Rodrigues. Eram pouquíssimos os estudos referidos somente ao terreno específico da arte e arquitetura: o povo mestiço era considerado incapaz de produzir uma arte minimamente interessante. Recorro a Campofiorito (1985):

> ... é bom lembrar o pensamento acadêmico então em vigor. Passo a dois autores consagrados pela mentalidade oficial. Leia-se Duque Estrada em 1888, a propósito da transmissão ao Brasil das causas da "decadência de Portugal", juntamente com o envio, à colônia, de "judeus e degredados", da temerosa caminhada das famílias pelo Passeio Público, "evitando esbarrar nos capadócios e nos negros"; da idéia de que "igreja dos jesuítas é uma flagrante prova de mau-gosto", de que o estilo barroco fora "uma brutalidade inventada pelos fundadores da inquisição". Em 1918, vem o diplomata Argeu Guimarães com a mesma inana: "os negros mais boçais" e que "não possuímos representantes do nosso gênio e não construímos um único símbolo fundamental" e que "em nosso patrimônio só haviam as igrejas, e, estas, feias, íamos dizer, feíssimas".

O que estava em disputa era a oportunidade de influenciar ou mesmo forjar políticas públicas de um Estado que pretendia "fundar" um novo país: no plano cultural, fazer formas e estilos que incorporassem uma realidade pouco estudada em um projeto de transformação da mesma. De acordo com Bomeny (1991):

> Os anos 30 são momentos do desenho da política institucional. De ousado agora, o fato de o Estado Nacional chamar intelectuais de todos os matizes, combinando projetos, propostas e idéias mescladas da utopia dos anos 20. O discurso do governo vai ao encontro dos discursos intelectuais. Aos projetos esparsos, empíricos, distintos, o Estado abre a porta para o estabelecimento da grande política nacional, do projeto de reconstrução do patrimônio como prática social integradora.

Uma questão fundamental, que precede todas as demais na explicação da vitória dos modernos, é a sua flagrante superioridade qualitativa em relação a seus contendores tradicionalistas. Basta cotejarmos as obras de uma e outra corrente para percebermos a desproporção: na poesia, *Ave Germânia*, de Carlos Maul, *Rosa do povo*, de Carlos Drummond, e *Paulicéia desvairada*, de Mário de Andrade; na sociologia, *Terra do sol*, de Gustavo Barroso, e *Casa grande e senzala*, de Gilberto Freyre; nos ensaios históricos, *Rio da bela época*, de Carlos Maul, *Estudos da arte brasileira*, de José Marianno, *O quarto império*, de Gustavo Barroso, *Raízes do Brasil*, de Sérgio Buarque de Hollanda, e *Sobrados e mocambos*, de Gilberto Freyre; na prosa, *Fábulas sertanejas*, de Gustavo Barroso, e *Macunaíma*, de Mário de Andrade.

No campo específico do patrimônio, enquanto os seus oponentes privilegiam aspectos morais e patrióticos, resultando seus discursos em uma catilinária nostálgica, os modernos desenvolvem pormenorizados trabalhos especializados sobre arte, arquitetura, etnologia, música – vale destacar a saborosa erudição sem pompas de Lucio Costa, Joaquim Cardoso e Mário de Andrade.

Os modernos possuíam, ainda, um projeto de nação incomparavelmente mais globalizante, sofisticado e inclusivo da complexa realidade brasileira, enquanto os tradicionalistas buscavam compensar sua fragilidade teórica com uma arenga denunciadora de supostas posições esquerdistas dos primeiros. Alegações que, em muitos casos, beiravam o ridículo, como acusar de comunismo Manuel Bandeira, figura sabidamente conservadora no plano político.

Um ponto que muito contou na conquista do aval de um Estado sequioso de marcar sua presença em grande escala foi a habilidade dos modernos em lidar com o monumental: a morada popular é concebida como monumento, sendo o Pedregulho de Affonso Reidy o exemplo mais notável; a construção de novos monumentos para o futuro é exercida com maestria do MES até Brasília e, por último, demonstram a proficiência na escolha e na gestão dos monumentos pretéritos da nação.

Vislumbram os modernos brasileiros ocasião ímpar: a legitimação de dominantes no presente pela justificativa ética de uma ação futura e o domínio do órgão encarregado de selecionar o que é relevante do passado. No campo da arquitetura, ao assumirem os pólos do passado e do futuro, logram colocar-se, em uma perspectiva evolucionista, como a natural depuração e os herdeiros de toda uma tradição construtiva brasileira: "Descobrindo o Brasil de novo, forjaram o próprio passado." (Campofiorito: 1985) As estruturas simplificadas e multiplicáveis do novo estilo igualariam as casas de ricos e pobres no aspecto construtivo, possibilitando a produção em larga escala de casas operárias. Gostar ou não das formas modernas não seria mais uma opção estética, mas sim uma necessidade ética e social, como afirmava corbusianamente Lucio Costa (ver Cavalcanti: 1987).

Em 1936, começa a funcionar, ainda informalmente, no escritório particular de seu diretor indicado, Rodrigo Melo Franco de Andrade, o Serviço do Patrimônio Artístico Nacional. Em janeiro de 1937, a instituição é oficialmente criada sob o nome de Serviço do Patrimônio Histórico e Artístico Nacional (Sphan) e ganha, em novembro, formas legais de atuação, graças ao Decreto-lei n.25, assinado pelo presidente Getúlio Vargas. Esse dispositivo, em vigor até os dias de hoje, fixa toda a legislação referente ao tombamento, incluindo-se o poder de polícia do órgão, com vistas à fiscalização administrativa de seu cumprimento, a partir dos usuários e proprietários dos bens tombados.

Completava-se assim a guinada da vertente cultural do MES em direção ao modernismo, criando-se as condições para que a mesma orientação fosse garantida na elaboração das formas para o futuro e na seleção das obras pretéritas a serem "sacralizadas" e darem um perfil ao passado da nação. Ao Museu Histórico Nacional, anteriormente encarregado da Inspetoria de Monumentos, é legado um papel de relativo destaque no que toca à museologia e ao sistema de museus, enquanto o Museu Nacional de Belas Artes continuou a ser um pólo importante na política estética do Estado Novo.

Condições muito específicas, portanto, permitiram aos modernos o controle concomitante da feitura de seu mapa astral e árvore genealógica. Parece-me fundamental, nesse processo, o episódio da construção, sob a égide do Sphan, de um hotel moderno projetado por Oscar Niemeyer no centro de Ouro Preto – cidade antiga brasileira mais importante, verdadeira "capital" do Brasil pretérito, decretada "monumento nacional" em 1933, quatro anos antes da criação do próprio Serviço de Patrimônio. Assinala a consolidação do grupo como dominante no campo arquitetônico e o fortalecimento do pensamento moderno na imposição de seu próprio universo simbólico na preservação dos bens culturais no Brasil, tratados como a sua descendência legítima (e não espúria, cf. Lucio Costa).

Painel do Sphan: forma abstrata moderna contém o raio de atuação de Serviço de Patrimônio.

CAPÍTULO 6

O Grande Hotel de Ouro Preto

Em 1938, o governo mineiro decide construir um hotel em Ouro Preto, com vistas a explorar o potencial turístico da cidade. Solicita ao Serviço de Patrimônio a elaboração de um projeto, de modo que a nova construção fosse compatível com a arquitetura antiga. O Sphan começara a funcionar contando, além de seu diretor Rodrigo Melo Franco de Andrade, com os seguintes colaboradores: uma secretária, Judith Martins, e os arquitetos Lucio Costa, Oscar Niemeyer, Carlos Leão, José de Souza Reis, Paulo Thedim Barreto, Renato Soeiro e Alcides da Rocha Miranda. Dos sete arquitetos, apenas Paulo Thedim Barreto não pertencia ao movimento moderno.[1] O predomínio maciço de arquitetos foi, com toda certeza, a mais substancial alteração que Rodrigo Melo Franco imprime ao projeto de Mário de Andrade. Corresponde à prioridade estabelecida no Sphan: os bens de "pedra e cal", com ênfase na arquitetura setecentista mineira.

O Sphan era representado em São Paulo por Mário de Andrade, tendo Gilberto Freyre como correspondente em Pernambuco – a nomeação de Freyre para diretor foi vetada pelo interventor Agamenon Magalhães, que, em carta de 14

1. Lucio Costa, Oscar Niemeyer e Carlos Leão participaram da equipe do projeto do MES. José de Souza Reis havia integrado com Niemeyer e Costa a equipe encarregada de estudos para a cidade universitária, havendo feito com o último o projeto classificado em segundo lugar no concurso para o Ministério da Fazenda. Renato Soeiro era colaborador de Attilio Corrêa Lima – arquiteto precocemente morto em desastre aéreo, em 1934, e autor do consagrado projeto da Estação de Hidroaviões. Alcides da Rocha Miranda trabalhara inicialmente no escritório de Emílio Baumgarten, calculista do projeto do MES, sendo, posteriormente, autor de importantes restaurações e projetos modernistas em centros históricos. Paulo Thedim Barreto, exímio desenhista, foi indicado a Rodrigo pelos religiosos do mosteiro de São Bento, onde havia realizado cuidadoso levantamento do conjunto arquitetônico. No Sphan, dedica-se à pesquisa dos traçados reguladores nas igrejas barrocas mineiras, com destaque para a obra de Aleijadinho.

Rampas e varandas do Grande Hotel de Ouro Preto.

de janeiro de 1938 ao ministro Capanema, opõe-se à investidura do antropólogo por "haver participado do movimento comunista em 1935 e se haver recusado em 1937 a fazer uma preleção anticomunista, ordenada pelo Reitor, na cerimônia de formatura de engenharia no Teatro Santa Isabel" (Arquivo Gustavo Capanema, CPDOC/FGV). Prudente de Morais Neto e Afonso Arinos de Melo Franco, embora não pertencessem ao quadro, participavam das reuniões de final de tarde no gabinete do dr. Rodrigo e, quando necessário, prestavam assistência jurídica. Manuel Bandeira e Joaquim Cardoso eram presenças constantes nessas mesmas reuniões, assim como Carlos Drummond, que, em 1946, incorpora-se definitivamente ao Sphan, na condição de chefe do Setor de História.

O arquiteto Carlos Leão é o escolhido para fazer o projeto do hotel. Sua preocupação fundamental foi seguir as linhas tipológicas básicas da arquitetura local, de modo a obter o mínimo de contraste e o máximo de integração; utilizou cobertura inclinada em telhas-canal, pátio interno, janelas e portas em arco, fachadas revestidas em pedra no térreo e caiadas de branco no resto de sua extensão. Apresentava o plano, entretanto, dois problemas básicos: havia ficado de um tamanho muito maior do que as construções em seu redor, fazendo com que os elementos não se articulassem bem entre si e, principalmente, que o hotel "pesasse" demais na ambiência da cidade. O segundo aspecto, de natureza muito mais grave do ponto de vista dos modernos, era a possibilidade – apesar da filiação moderna de Leão e de este haver procurado "depurar" à essência os estilemas locais – de o projeto ser considerado uma "redenção" à corrente neocolonial, seus principais competidores na pretensão à contemporaneidade.[2]

Rodrigo Melo Franco, durante certo tempo, parecia feliz com a solução, conforme atesta a sua carta de 29 de agosto de 1938 ao prefeito de Ouro Preto:

> O anteprojeto é de autoria do arquiteto Carlos Leão, assistente técnico desta repartição. O trabalho foi realizado tendo-se em vista não só as condições especiais do terreno cedido pelo governo do Estado para a construção do hotel, mas ainda e particularmente a necessidade de o novo edifício não contrastar com a arquitetura característica de Ouro Preto. (Arquivo Iphan)

Em 5 de dezembro do mesmo ano, o prefeito ouro-pretano, Washington de Araújo Dias, escreve ao diretor do Sphan pedindo que o governo federal abrisse crédito para a edificação do plano de Carlos Leão, "que empolgou o governador Valladares". Solicita, igualmente, "a remessa do projeto em

2. O projeto contemporâneo dos neocoloniais é explicitado por José Mariano: "A volta ao espírito tradicional da arte brasileira não significa uma homenagem fetichista ao passado, mas apenas o retorno ao bom senso."

escala maior, devidamente colorido, para ser apresentado ao governador e depois exposto aqui em Belo Horizonte". Permite-se, ainda, sugerir modificações "ditadas pelas conveniências da construção": criação de um elevador e aumento do número de banheiros, "mesmo se implicasse em diminuir o número de quartos". Finaliza pedindo "o envio de um técnico capaz de dar uma solução decente à pequena praça fronteira ao hotel".

O seguinte registro que se tem no Arquivo do Patrimônio é uma carta do mesmo prefeito, datada de 12 de janeiro de 1939, pedindo escusas a dr. Rodrigo por não ter podido receber o técnico por ele enviado: "... estando em minha fazenda só fui cientificado da estadia do dr. Niemeyer na hora de sua partida." Essa viagem a Ouro Preto foi fundamental não só para o agenciamento da praça fronteira ao futuro hotel, como também para que o arquiteto começasse a se assenhorear do problema de implantação da nova construção.

A documentação a respeito do hotel sofre uma interrupção de cinco meses, período no qual foram levantadas no interior do Sphan, certamente capitaneadas por Lucio Costa, objeções ao estudo de Carlos Leão, e foi deflagrada uma espécie de disputa interna ao órgão e ao próprio movimento moderno. Lucio Costa estava em Nova York, trabalhando na construção do Pavilhão Brasileiro, em parceria com Oscar Niemeyer. Recebendo o projeto, em correspondência de Rodrigo Melo Franco, percebe a inconveniência do que poderia parecer um "recuo" ou capitulação aos neocoloniais. Transmite, em carta ao diretor, suas apreensões e, coincidência ou não, Niemeyer retorna ao Brasil e é encarregado, por Rodrigo, de realizar novos estudos para o hotel (depoimento de José de Souza Reis; Arquivo Iphan, s/d).

Ao mesmo tempo que Oscar Niemeyer efetua novo estudo para a construção, Renato Soeiro propõe o aproveitamento de prédios já existentes, com a união de seus espaços internos e a manutenção das fachadas.

O projeto de Niemeyer é efetuado para o mesmo terreno daquele de Carlos Leão – em declive, próximo a um grupo escolar do início do século XX, com grande volumetria e feições ecléticas, e à Casa dos Contos, um dos maiores atrativos da arquitetura local. Foi idealizado pelo futuro criador de Brasília um grande bloco sobre pilotis posicionado em sua extensão no sentido das curvas de nível, ao longo da maior parte do terreno. Previa uma cobertura em laje plana plantada com grama, de modo que, vista de cima, da estrada de acesso a Ouro Preto, fosse confundida com a vegetação do solo. Argumentava Niemeyer ter lançado mão de processos construtivos contemporâneos à sua época, sem nenhuma preocupação de imitar a aparência das edificações antigas, pretendendo "que o novo hotel, em seu aspecto simples e despretensioso, se destacasse o menos possível na paisagem ouro-pretana".

Lucio Costa, embora nos EUA, mantém-se informado sobre as *démarches* no Sphan para o projeto no interior mineiro e questiona o terraço-jardim, pois, apesar de reconhecer "a pureza desta solução" e seu mimetismo quando visto do alto, acreditava que a utilização da cobertura em telhas se "enquadraria melhor no conjunto da cidade".

> Escrevera uma carta a Rodrigo, na qual declarava que, apesar de não desejar interferir no assunto, por razões particulares, reprovava, entretanto, a solução do terraço-jardim e recomendava, expressamente, a adoção da cobertura de telhas que deveria, a seu ver, atingir a área dos pequenos terraços dos apartamentos, com treliças de madeira na fachada. E aí houve um mal-entendido. Oscar havia mandado pregar fotografias da maquete de sua primeira solução em um pequeno biombo, que enviou à sala de Rodrigo. Este, ao recebê-lo, pensou que as fotografias do biombo representavam uma rebeldia de Oscar à idéia do Lucio, que ele, Rodrigo, já lhe havia transmitido. Na verdade, isto não procedia, apenas as imagens da maquete eram anteriores à deliberação do diretor e não houve má-fé no ocorrido mas apenas um simples descuido, logo sanado com a devolução dos painéis ao arquiteto. (Depoimento de José de Souza Reis; Arquivo Iphan, s/d)

Niemeyer elabora, então, um novo e vitorioso estudo, que incorpora as alterações sugeridas por Lucio Costa a partir do pedido do dr. Rodrigo, uma vez que o prefeito da antiga Vila Rica exigira algumas modificações. A mais substancial diz respeito à adoção do telhado inclinado em telhas de barro – não até o paramento da fachada, como queria Costa, mas restrito ao corpo do bloco, sem atingir as varandas. A harmonia com as antigas construções foi justificada com base na sempre lembrada semelhança entre as estruturas tradicionais em pau-a-pique e as modernas em concreto armado. Os pilares foram calculados com seções quadradas, de modo a "acentuar, dentro dos limites impostos pela boa arquitetura e sem recorrer a nenhum processo de simulação, a semelhança entre as duas técnicas" (texto de Niemeyer, que Rodrigo Melo Franco transcreve, sem retoques, em sua carta de 30 set 1939 ao ministro Capanema).

A disputa interna entre os arquitetos modernos no Sphan ocorreu em duas etapas: em um primeiro momento, a adesão de todos – exceto Carlos Leão e Paulo Thedim Barreto – ao sinal emitido por Lucio Costa, então em Nova York, sobre os perigos de o projeto de Leão ser tomado como uma capitulação em favor dos neocoloniais. Comenta a esse respeito José de Souza Reis:

> Ficou um pouco embaraçoso para quem, como eu, chegava ao Sphan pela mão daquele colega tomar logo uma posição contrária ao seu projeto, o que, entretanto, acabaria ocorrendo... Estava à vista de uma maquete de gesso do projeto imaginado pelo Carlos Leão, não com base em seus conhecimentos atualizados de arquitetura demonstrados em vários trabalhos e confirmados, logo após, no projeto da casa de d. Tita, sua mãe, em Laranjeiras; mas, sim em outra faceta de sua personalidade que eu ainda desconhecia e que depois foi se manifestando em outras oportunidades, a exemplo da residência Virgílio Melo Franco no Jardim Botânico: a do profissional a serviço do cliente na forma que lhe parecia atender aos anseios e preferências artísticas deste. E, no caso em apreço, o

Carlos Leão pensava estar indo ao encontro do que Rodrigo esperava para Ouro Preto.[3] (Arquivo Iphan, s/d)

Em um segundo momento, já descartada a hipótese neocolonial, os arquitetos se reagrupam em duas correntes: os que defendiam a adaptação de um correr de casas antigas – Renato Soeiro, apoiado por Thedim Barreto – e os adeptos de uma das duas soluções modernas oferecidas por Niemeyer – Costa, Souza Reis e Rocha Miranda, além do próprio autor, Carlos Leão, que, após as fortes críticas à sua proposta, afasta-se das discussões.

A matéria acaba tendo de ser submetida ao ministro, pois o prefeito Washington Dias e o governador Benedito Valladares já haviam sido mobilizados para a construção do projeto de Leão. O prefeito torna-se, no decorrer do processo, um inesperado aliado do projeto de Niemeyer: apesar de preferir a solução neocolonial, nada lhe desagrada mais do que as hipóteses aventadas pelo Sphan do reaproveitamento de fachadas antigas ou, ainda, da construção de um projeto com características modernas fora dos limites da cidade.[4]

A justificativa de Rodrigo Melo Franco a Gustavo Capanema está alicerçada em carta que lhe foi enviada por Lucio Costa. A missiva do arquiteto adquire alcance muito maior do que o mero caso do hotel de Ouro Preto, passando a ser, no âmbito do patrimônio, espécie de carta de princípios para novas construções em sítios históricos. Por conta de sua condição de estabelecedora de parâmetros modernos na atuação patrimonial, além de ser o documento que eleva a boa produção moderna à condição de obra de arte,

---

3. No ideário moderno, o arquiteto que cede a anseios estilísticos do cliente será malvisto pelos colegas. A maior ou menor autonomia que exibe em seus projetos é um índice de seu prestígio e lugar no campo arquitetônico: o arquiteto bem-sucedido imprime a sua marca aos clientes. Estes, por seu turno, passam a disputar a grife de um arquiteto famoso como aval para as suas realizações. No "contrato" de um bom cliente com um arquiteto famoso, é feito um acordo mútuo, lucrativo para ambas as partes: o cliente fornece meios para que o arquiteto exercite a sua capacidade de criar formas e se afirme entre os colegas. O arquiteto, no papel de "tradutor espacial" de sonhos preexistentes, forneceria a chance de bom-gosto, arrojo e criatividade ao sonho alheio. O depoimento de José de Souza Reis é significativo. Justifica a sua posição contrária ao amigo que lhe obteve o emprego, a quem normalmente estaria obrigado a apoiar, com a descoberta de uma das falhas mais graves que pode ter um arquiteto aos olhos de outro: procurar atender aos anseios do cliente, por ele descritos como "faceta de sua personalidade que eu ainda não conhecia". É curioso citar um depoimento de Vinicius de Moraes sobre Carlos Leão, no qual este é enaltecido exatamente pela intransigência aos desejos da clientela: "Carlos Leão sempre relutou muito em fazer projetos, a não ser quando lhe era dada completa liberdade, e daí ter trabalhado mais para parentes e amigos que para cliente pagante. Mas quem teve a sorte de obter-lhe um projeto é possuidor de uma verdadeira casa, bela, sólida, confortável." Podemos inferir que o arquiteto que não é reconhecido como dominante somente consegue ter autonomia, ou melhor, guardar observância aos códigos valorizados em seu *métier*, em projetos regidos por outras lógicas – parentesco, amizade – que aquelas corriqueiras de mercado.

4. A opinião do prefeito de Ouro Preto é largamente citada pelo diretor do Sphan em sua carta de 30 set 1939 ao ministro Capanema.

em igualdade com os bens tombados do passado, passo a transcrever seus pontos mais importantes:

> Na qualidade de arquiteto incumbido pelos Ciam[5] de organizar o grupo no Rio e na de técnico especialista encarregado pelo Sphan de estudar a nossa arquitetura antiga, devo informar a você, com referência à construção do hotel de O.N.S. (Oscar Niemeyer Soares), o seguinte: sei, por experiência própria, que a reprodução do estilo das casas de Ouro Preto só é possível, hoje em dia, à custa de muito artifício ... teríamos, depois de concluída a obra, ou uma imitação perfeita e o turista desprecavido correria o risco de, à primeira vista, tomar por um dos principais monumentos da cidade uma contrafação, ou então, fracassada a tentativa, teríamos um arremedo neocolonial em nada em comum com o verdadeiro espírito das velhas construções.

Afirma o estatuto de obra de arte da arquitetura moderna, em pé de igualdade com a produção pretérita:

> Ora, o projeto do O.N.S. tem pelo menos duas coisas de comum com elas: beleza e verdade... não deverá estranhar a vizinhança de outras obras de arte, embora diferentes, porque a boa arquitetura de um determinado período vai sempre bem com a de qualquer período anterior – o que não combina com coisa nenhuma é a falta de arquitetura.

Prega a boa convivência do moderno nas cidades históricas:

> Da mesma forma que um bom ventilador e telefone sobre uma mesa seiscentista ou do século XVIII não podem constituir motivo de constrangimento para os que gostam verdadeiramente de coisas antigas – só o novo-rico procura escondê-los ou fabricá-los no mesmo estilo para não destoarem do ambiente ... a construção de um hotel moderno, de boa arquitetura, em nada prejudicará Ouro Preto, nem mesmo sob o aspecto turístico-sentimental, porque, ao lado de uma estrutura como essa tão leve e nítida, tão moça ... tudo isto que faz parte desse pequeno passado para nós já tão espesso, como você falou, parecerá muito mais distante, ganhará mais um século, pelo menos, em vetustez.

Lança as bases da atuação moderna em relação a sítios urbanos antigos:

> E não constituirá um precedente perigoso – possível de ser imitado depois com má arquitetura –, porque Ouro Preto é uma cidade já pronta e as construções

5. Congresso Internacional de Arquitetura Moderna (Ciam) é o organismo internacional criado pelos arquitetos modernos para defender, propagar e estabelecer normas para a atuação profissional. Periodicamente, eram realizadas assembléias reunindo sócios dos mais variados países. Cabia a esses conclaves discutir temas relevantes, com vistas a um caráter normativo. O primeiro se realizou na capital grega no ano de 1933, gerando a Carta de Atenas, verdadeira "bíblia" de urbanismo para os arquitetos modernos. Eram designados representantes do Ciam nos diversos países: Gregori Warchavchik foi o primeiro deles no Brasil, sendo sucedido por Lucio Costa em 1937, indicado por Le Corbusier, após o trabalho conjunto no MES (informações prestadas por Maria Elisa Costa e pelo próprio arquiteto).

novas que, uma ou outra vez, lá se fizerem serão obrigatoriamente controladas pelo Sphan, que terá mesmo, de qualquer forma, mais cedo ou mais tarde, de proibir em Ouro Preto os fingimentos coloniais.

Finaliza Costa:

Agora na qualidade não só de arquiteto filiado aos Ciam e de técnico especialista do Sphan, mas, ainda, de seu amigo, sinto-me na obrigação de dizer também o seguinte: diante da reação instantânea – a meu ver um tanto precipitada – daqueles justamente de quem fora lícito, por todos os títulos, esperar-se uma atitude mais acolhedora e compreensiva ... me pergunto se o objetivo em vista justifica os riscos da experiência e corresponde verdadeiramente – para outros que não para nós arquitetos – à importância do que está em jogo ... em casos assim tão especiais, e dadas as semelhanças tantas vezes observadas entre a técnica moderna – metálica ou de concreto armado – e a tradicional de "pau-a-pique", não seria possível de se encontrar uma solução que, conservando integralmente o partido adotado e respeitando a verdade construtiva atual e os princípios da boa arquitetura, se ajustasse melhor ao quadro e, sem pretender de forma nenhuma reproduzir as velhas construções nem se confundir com elas, acentuasse menos ao vivo o contraste entre passado e presente, procurando, apesar do tamanho, aparecer o menos possível, não contar, melhor ainda, não dizer nada (assim como certas pessoas grandes e gordas mas de cuja presença a gente acaba se esquecendo), para que Ouro Preto continue à vontade, sozinho lá no seu canto, a reviver a própria história, L. (Arquivo Iphan)

Estava feita a defesa do segundo projeto de Oscar Niemeyer, cuja execução acentuaria mais ainda a condição de dominantes no campo arquitetônico: em uma primeira instância, no concurso do prédio do MES, conseguem provar, em face dos acadêmicos e neocoloniais, que suas construções eram, a um só tempo, novas, nacionais e estruturalmente ligadas a uma tradição pretérita. Com o episódio do hotel, a produção moderna é alçada à condição de obra de arte, e os seus adeptos vêem consolidadas suas posições nos quadros do Sphan, detendo o poder de seleção daquilo que deve ser sacralizado e conservado como monumento nacional através do tombamento. Além de árbitros do bom-gosto estatal, passam a ser, eles mesmos, objetos da "sacralização", com o tombamento da igreja da Pampulha, em 1947, e do prédio do MES, em 1948 (ambos apenas cinco anos após suas edificações). Não menos relevante é o controle que passarão a exercer nas construções cotidianas das cidades históricas e nas áreas de entorno dos monumentos sob a proteção do Sphan.

A construção do hotel de Ouro Preto aprofunda os sulcos do triunfo moderno e redefine internamente o grupo, com a clara divisão de dominantes e dominados no pólo moderno dominante, além de provocar reflexos diretos e imediatos nas vidas de seus protagonistas principais.

O terreno livre, ao lado da Casa dos Contos, para a construção do Grande Hotel de Ouro Preto.

Fotomontagem do projeto de Carlos Leão, visto da rua das Flores.

Fotomontagem do projeto de Carlos Leão, visto de cima.

Fotomontagem do primeiro projeto de Oscar Niemeyer, visto da rua das Flores.

O primeiro projeto de Oscar Niemeyer, com laje plana, visto de cima.

Fotomontagem do projeto vitorioso de Oscar Niemeyer, com as sugestões de Lucio Costa, visto da rua das Flores.

O mesmo projeto, visto de cima, já com as telhas de barro e as varandas sugeridas por Lucio Costa.

Escola Júlia Kubitschek, em Diamantina: outra incursão de Oscar Niemeyer no centro de uma cidade histórica mineira.

Oscar Niemeyer é indicado por Rodrigo Melo Franco a Juscelino Kubitschek, então prefeito de Belo Horizonte, que nele reconhece o talento para as obras que desejava empreender como marco de sua gestão. O arquiteto sai dos quadros do Sphan e abre um escritório particular para desenvolver os projetos do Grande Hotel e do conjunto da Pampulha na capital mineira, impulsionando a fecunda e prestigiosa carreira que mantém até os dias de hoje.

José de Souza Reis é encarregado de importantes projetos no âmbito do Sphan: a nova igreja metodista e as instalações do Museu da Inconfidência na antiga Casa de Câmara e Cadeia, o mais destacado prédio civil de Ouro Preto. Alcides da Rocha Miranda é nomeado responsável pela região central (Minas Gerais e Goiás) e, posteriormente, diretor do Setor de Arte, além de realizar vários projetos de relevo.

Soeiro desempenha, sobretudo, tarefas administrativas, menos valorizadas no sistema de valores arquitetônicos, que privilegia qualidade de criação e erudição em detrimento daquelas relacionadas a trabalhos burocráticos. Após a aposentadoria de Rodrigo, Soeiro ocupa a direção do órgão, de 1969 a 1979. Sua escolha parece ter sido efetuada por um certo caráter neutro, atribuído a seu perfil de administrador. Os anos compreendidos por sua gestão são referidos por Campofiorito (1985) como de "declínio" e, no livro institucional *Trajetória*, como "segunda fase". Os 31 anos sob direção de Rodrigo Melo Franco são referidos pelas duas fontes como "fase heróica".

Lucio Costa prossegue a sua atividade de arquiteto, efetua os planos urbanísticos de Brasília e da Barra da Tijuca (Rio de Janeiro) e consolida a sua condição de maior autoridade em patrimônio ocupando o cargo de principal assessor de Rodrigo e diretor da Divisão de Estudos e Tombamentos do Sphan até a sua aposentadoria, em 1972. Nesse posto e, após 1972, como consultor, emite pareceres e detém a palavra técnica final sobre todas as operações que envolvem bens isolados, seus entornos e conjuntos urbanos protegidos, o que, na prática, corresponde a um controle arquitetônico e urbanístico das principais cidades brasileiras.

Carlos Leão "decai" de antigo sócio de Costa e o mais promissor arquiteto para uma posição de ostracismo profissional. Poucos meses após o episódio do estabelecimento hoteleiro, abandona o Sphan e vai se empregar no Instituto dos Bancários, restringindo em muito a atividade arquitetônica. Mergulha em quase completo anonimato por cerca de 20 anos, do qual só sairá com desenhos em bico-de-pena de figuras femininas, primeiro nas capas de livros do poeta Vinicius de Moraes, seu primo, e, a partir dos anos 60, em esparsas exposições de artes plásticas. Logo após a sua morte, em 1983, o crítico Frederico de Morais publica entrevista recente na qual declarava Leão: "Fazer projetos é uma chatura. Prefiro os desenhos, nos quais faço o que quero." (*O Globo*, 4 fev 1983)

[PARTE III] Casas para o Povo

❝ A casa popular foi reconsiderada, glosada, estudada por todos os arquitetos, sob todos aspectos possíveis e imagináveis. Foi promovida a pedra angular de uma civilização. ❞

Vilanova Artigas

Os caminhos da arquitetura moderna, 1952

CAPÍTULO 7

O Percurso do Estético para o Ético

Os planos arquitetônicos para habitação popular, no início do movimento moderno, desempenharam forte papel na autonomização da arquitetura como campo específico, com legitimidade e consagração internas, no interior dos domínios acadêmicos e profissionais (cf. Bourdieu: 1974). No Brasil dos anos 30, o estabelecimento de um discurso propondo soluções para a morada dos mais pobres constituiu a última base do tripé – junto com a construção de prédios monumentais e a instalação de uma política de preservação da memória nacional – que possibilitou aos modernos o domínio do campo arquitetônico, derrotando os acadêmicos e os neocoloniais.

A arquitetura teve de efetuar dois principais movimentos para se constituir em domínio independente. O primeiro foi o de afastamento das belas-artes, às quais estava completamente ligada, inclusive em termos de ensino.[1] Entre nós, a Escola de Belas Artes era uma transposição praticamente literal da École de Beaux-Arts de Paris. Oferecia cursos de pintura, escultura, gravura (de moeda) e arquitetura. Nos três primeiros anos havia um curso básico, comum a todas as especializações. Daí em diante, caso desejasse se tornar arquiteto, o aluno teria de se submeter à prova de matemática e cursar três anos até sua graduação. Como profissional, ocupava-se fundamentalmente do aspecto estético do prédio, sempre

Detalhe do Conjunto do Pedregulho, no Rio de Janeiro.

1. No Brasil, somente em 1945 é criada uma escola específica para formação de arquitetos: a Faculdade Nacional de Arquitetura, sediada no Rio de Janeiro.

destinado às camadas dominantes. Gropius (1972b) usa as categorias "arquiteto-gentleman"[2] ou arquiteto "prima-donna" para designar essa ligação com as belas-artes.

O segundo movimento do arquiteto é efetuado visando a marcar sua distinção do engenheiro. A partir de meados do século XIX, o engenheiro começa a ganhar terreno nas construções, detentor do conhecimento de novas técnicas construtivas (aço e concreto armado), aplicando-as em obras eminentemente utilitárias (pontes, silos, estações ferroviárias etc.). Já em 1889, um discípulo de Viollet-le-Duc, Daudet, percebe o risco de obsolescência do arquiteto perante o engenheiro, "o homem moderno por excelência" (apud Pevsner: 1962).

Coincidindo com o movimento moderno, há um movimento da arquitetura em direção ao social. Cabe citar Le Corbusier (1942): "Os engenheiros constroem os instrumentos de seu tempo. Tudo salvo as casas e as alcovas apodrecidas." Dedicam-se os arquitetos a buscar unir as novas tecnologias a um plano de construção de casas em série destinadas aos trabalhadores industriais.[3]

A preocupação de diferenciação com a engenharia é tamanha, ainda em 1942, que o arquiteto franco-suíço, em seu livro *Maison des hommes*, elabora um gráfico no qual busca associar os atributos e conhecimentos das duas profissões aos tipos de edificações a serem construídas. Na predisposição e cultura do arquiteto, prevaleceriam a "sensibilidade" e o "conhecimento do homem", enquanto para o engenheiro a "razão" e o "conhecimento das leis físicas" preponderariam.

Le Corbusier lista, a seguir, as tarefas construtivas, com a seguinte numeração:

2. O "arquiteto-gentleman", profissional liberal por excelência, mantinha maior atividade na construção de prédios monumentais e mansões para clientes ricos. Enfatizava nas edificações o lado artesanal, controlado e coordenado pelo arquiteto. Dough e Amabel William-Ellis (1924) assim descrevem o perfil ideal desse tipo de técnico: "Um arquiteto, para fazer projetos bem-sucedidos, deve ouvir tantas confidências íntimas quanto o médico e o advogado da família juntos, e uma boa parte de seu tempo deve em geral ser dedicada a instruir cuidadosamente seu cliente quanto às possibilidades e limitações da construção, aos elementos da arquitetura, e, freqüentemente, também quanto ao serviço doméstico, os modos e os hábitos dos empregados. ..." (apud Saint: 1985).

3. Deve ser citado que, embora a engenharia não vá se inflexionar em direção ao social, há exceções como a de Frédéric Le Play. Engenheiro encarregado da administração de minas e de cidades operárias mineiras, passa a se interessar pela condição de vida dos trabalhadores, publicando em 1855 obra precursora dos estudos das classes operárias (cf. Arnault: 1984).

1 Templos e monumentos nacionais.
2 Auditórios, bibliotecas, teatros.
3 Hospitais, sanatórios, casas de repouso.
4 Centro de esportes, escolas.
5 Habitação.
6 Edifícios administrativos, escritórios.
7 Ateliês de artesanato, manufaturas.
8 Fábricas, galpões.
9 Pontes, diques, faróis.

As tarefas de 1 a 4 exigiriam maior "sensibilidade" e predomínio do arquiteto. Em troca, aquelas de 6 a 9 demandam "técnica" em maior quantidade e, conseqüentemente, a chefia do engenheiro.

A habitação está exatamente no centro do gráfico de Le Corbusier (1942): "Esta posição central corresponde àquela que ocupa a família na sociedade, posto que a família não é somente a unidade fundamental, como também a semente da sociedade." Na moradia, segundo o pioneiro moderno, "razão" e "sensibilidade" participam em partes iguais, cabendo, no entanto, a chefia dos trabalhos ao arquiteto: "Comandar, obviamente, também o projeto da habitação, devido à proeminência totalmente especial, no centro da família, do ponto de vista da *pessoa humana*, acima de todos os demais pontos de vista." (Le Corbusier: 1942; grifo meu)

Demarcados os limites de atuação de cada profissão, foi eleita a moradia, especialmente a econômica, como alvo principal e justificativa ideológica de atuação dos arquitetos modernos. Embora a presença da habitação popular seja muito maior nos textos e discursos do que em suas obras edificadas, a preocupação com a moradia econômica traduziu o esforço de imprimir conteúdo ético-ideológico ao movimento arquitetônico. A partir dos modernos, a estética passa a configurar uma ética, em claro movimento na direção do social.

No Brasil não foi diferente. Com a palavra, Lucio Costa: "Nessa época, por volta de 1936, percebi que renovação arquitetônica e social são uma coisa só. O econômico não se contrapôs ao bom gosto, são perfeitamente compatíveis." O predomínio dos modernos sobre as correntes neocolonial e acadêmica coincide com a autonomia do campo arquitetônico, conquistada quando os arquitetos conseguem se apossar de um objeto que é a habitação popular. Firmam-se através desse objeto como campo específico, com representações próprias acerca de indústria e camadas populares, que passam a "transbordar" para a sociedade mais ampla.

A mudança chegou, igualmente, na faculdade, como ilustra o depoimento de Ernani Vasconcellos, membro da equipe brasileira que projeta a sede do Ministério da Educação e aluno durante a gestão de Costa: "Com a entrada de Lucio Costa para a direção, o ensino mudou completamente: 'A Torre de Pensamento às margens do Rio Sagrado' cedeu lugar à habitação popular."

A morada popular tornou-se tema obrigatório e recorrente no repertório da quase totalidade dos arquitetos modernos. Vozes dissonantes emanaram de dois importantes profissionais, de correntes estilísticas diversas, ambos filiados ao Partido Comunista Brasileiro, que se opunham firmemente à adoção da moradia popular como principal tarefa profissional. De acordo com Oscar Niemeyer: "Num regime capitalista não me atraía essa idéia de habitação mais barata. Atender ao pobre para ele continuar sendo pobre." Aponta ainda como foi utilizado o tema, apenas, para legitimar a profissão: "Era uma discussão técnica que interessava muitíssimo mais ao arquiteto do que aos operários."

Para Vilanova Artigas, tanta preocupação com a habitação econômica era "um índice do afã com que a burguesia lançava na luta suas últimas reservas a fim de sobreviver mais alguns anos". Haveria cumplicidade entre frações das camadas dominantes e os arquitetos na utilização de lenitivos para retardar inevitável revolução social: "A casa popular foi reconsiderada, glosada, estudada por todos os arquitetos, sob todos aspectos possíveis e imagináveis. Foi promovida a 'pedra angular de uma civilização' ..." (Vilanova Artigas: 1952).

Os projetos de habitação para os mais pobres foram apropriados como justificativas éticas nas idéias do movimento moderno,[4] desempenhando importante papel em suas disputas com as correntes neocoloniais e acadêmicas para a obtenção de encomendas estatais e o domínio do cenário arquitetônico, que, nos anos 30, ainda era extremamente dependente de iniciativas oficiais. Em articulação direta com o pensamento social e a

---

4. Watkin (1979) observa que a colocação de princípios éticos e morais na arquitetura almeja situá-la ao largo de qualquer crítica: "... a arquitetura exerce sobre nós uma espécie de direito inatacável, uma vez que não se trata de um estilo do qual podemos livremente gostar ou não, mas sim da expressão de uma necessidade incontestável ou de uma exigência inerente ao século XX, à qual devemos nos conformar ... discordar de suas formas é então certamente antisocial e provavelmente imoral."

própria sociedade brasileira, as discussões sobre arquitetura abandonam um terreno estilístico para se ocupar da premência de conceber novos modos de construção que pudessem fornecer habitações dignas, sobretudo, para os grandes contingentes que acorriam para as cidades.

CAPÍTULO 8

Arquitetos, Intelectuais e Camadas Populares no Brasil dos Anos 30

O movimento moderno na arquitetura estava inserido em um movimento mais amplo dos intelectuais brasileiros que, independentemente de sua origem de classe ou formação acadêmica, estiveram sempre ocupados em "pensar" o Brasil e sugerir novos rumos para a nação (cf. Lippi: 1986). Pensar o país implicava buscar minorar as discrepâncias econômicas, tragicamente materializadas na precariedade da habitação dos mais pobres. Significava, ainda, conceber uma identidade nacional. Ortiz (1985) nos mostra como, desde o século XIX, a problemática da cultura popular está vinculada à de identidade nacional. O intelectual desempenhará importante papel de mediador simbólico entre as dimensões do popular (plural) e do nacional: "O Estado, por meio de mecanismo de reinterpretação coletiva, através de seus intelectuais, se apropria das práticas populares para apresentá-las como expressões de cultura nacional." (Ortiz: 1985) Em outra dimensão, os intelectuais procurarão intervir nessas práticas populares de modo a estabelecer nova realidade e ordem social.

No Brasil do início dos anos 30, eram, freqüentemente, estreitas as relações dos intelectuais com os aparelhos estatais e com os políticos que necessitavam da legitimação que eles lhes conferiam. Observa Buarque de Hollanda (1936) o desejo de obtenção de altos postos e cargos rendosos no Estado: "Ainda hoje são raros no Brasil os médicos, advogados, engenheiros, jornalistas, professores, funcionários que se limitem a ser homens de sua profissão." Melo Franco (1933) sugere divisão de tarefas na construção do país: "O poder aos intelectuais, o governo aos doutores." (apud Lippi: 1986)

A primeira obra moderna de habitação popular no Brasil – os apartamentos econômicos da Gamboa, de Costa e

Área de acesso, circulação e lazer de um dos blocos de habitação do Conjunto do Pedregulho.

Warchavchik – foi realizada no mesmo ano da publicação de *Casa grande e senzala* (1933), de Gilberto Freyre.[1] Abraçam os arquitetos modernos as idéias de Freyre a respeito da "democracia racial" e seu otimismo em relação à sociedade brasileira. Para Costa (1980), a casa moderna seria um instrumento de liberação dos trabalhadores. "A máquina de morar ao tempo da colônia dependia do escravo. ... O negro era esgoto; era água corrente quente e fria; era interruptor de luz e botão de campainha." As facilidades modernas diminuiriam a necessidade de empregados domésticos, em sua maioria mestiços, que passariam a trabalhar nas indústrias, de modo a contribuir para maior igualdade social e para consolidar a idéia de uma democracia racial. Contrastava esse otimismo com os membros da escola Nina Rodrigues, que atribuíam à raça ou cultura mestiça a origem do atraso e dos males brasileiros (cf. Correa: 1982).

Se os arquitetos modernos encaravam com certo otimismo o homem brasileiro, tal não acontece em relação à sua habitação: "Feitas com pau do mato próximo e de terra do chão, mal barreadas, como casas de bicho, dão abrigo a toda a família ... todos misturados e com ar doente, esperando. ..." (Costa: 1980) Esperando, com certeza, a intervenção do arquiteto que tentará "elevar" seu modo de vida com casas modernas, de forma a resgatar-lhes a dignidade perdida na subhabitação.

Os planos dos arquitetos modernos para habitação popular inseriramse em um movimento mais amplo dos intelectuais brasileiros que assumem postura intervencionista ou domesticadora em relação às camadas populares. Tal atitude perpassaria alguns dos mais diversos campos e matizes político-ideológicos.

A intervenção podia adquirir um caráter repressivo como o de Leonidio Ribeiro, médico-legista da escola Nina Rodrigues que exige providências policiais para o extermínio de algumas tendências do espiritismo (ver Maggie: 1985). Do lado oposto, temos Mário de Andrade, que propõe a criação de um Serviço do Patrimônio Histórico, visando à proteção de monumentos notáveis de nossa cultura, inclusive de manifestações populares. Em 1947, é criada a Comissão Nacional do Folclore, que desaguará na Campanha de Defesa do Folclore, chefiada, dentre outros, por Edson Carneiro. A proposta básica é a intervenção do Estado no sentido de divulgar e, principalmente, proteger manifestações folclóricas em risco de extinção.

---

1. Oscar Niemeyer e Lucio Costa mantinham estreitas relações de amizade com intelectuais da época; entre eles: Rodrigo M.F. Andrade, Prudente de Moraes Neto, Carlos Drummond de Andrade, Sérgio Buarque de Hollanda, Oswald de Andrade e Mário de Andrade. Gilberto Freyre inclui generosa citação à atuação de Lucio Costa no prefácio de *Casa grande e senzala*.

No campo habitacional prevalece, largamente, a ingerência em relação às camadas populares. Os arquitetos tendem a pensar as formas existentes de moradia como anacrônicas, almejando propor soluções que interpretem "correta" e modernamente a questão. Cabe citar Lippi (1986): "Os intelectuais, ao atuarem na construção de consciências coletivas, nacionais ou não, consideram-se como que imbuídos de uma 'missão', relevando serem portadores de um sentido messiânico do conhecimento e da verdade."

Tal postura levará, na maioria dos casos, a propostas "ideais" e, mesmo, utópicas para as habitações econômicas. Característica comum a esses projetos, além do aspecto intervencionista, é a dificuldade que enfrentam para ser implantados em toda a plenitude.

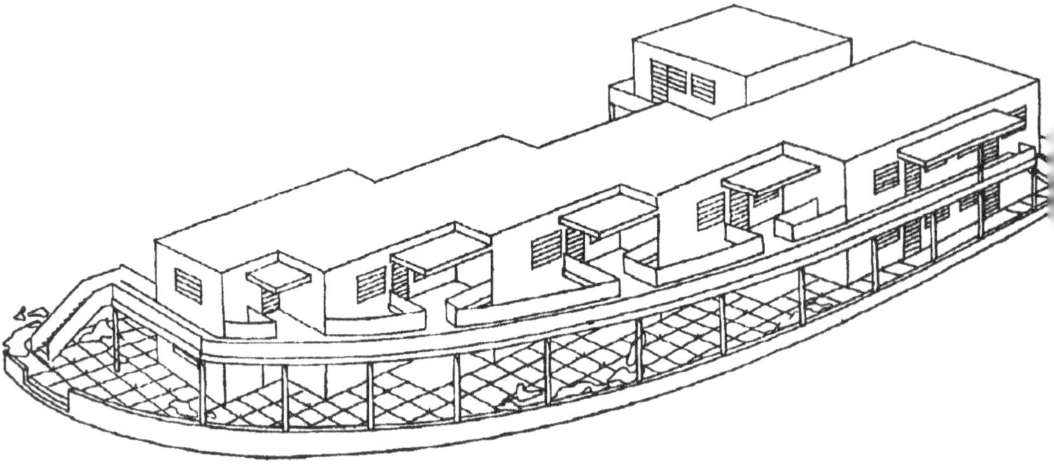

CAPÍTULO 9

Algumas Obras Pioneiras

APARTAMENTOS ECONÔMICOS DA GAMBOA (1933)

Após sua permanência à frente da Escola Nacional de Belas Artes, de 1930 a 1931, Lucio Costa constitui escritório com Gregori Warchavchik, pioneiro na construção de casas modernas em São Paulo e um dos professores trazidos por Costa para a área de projeto de arquitetura.

Dentre os projetos do escritório, encontra-se a vila operária da Gamboa, efetuada por encomenda de um médico, Fábio Carneiro de Mendonça. Dono de um terreno na rua Barão da Gamboa, resolve construir apartamentos destinados a aluguel. São projetadas 14 unidades geminadas (sete no térreo e sete no primeiro pavimento), com sala, dois quartos, cozinha e banheiro. Situada em terreno pequeno e acidentado, ocupa a construção todo o lote, com acessos laterais servindo aos dois andares. A circulação é externa e aberta, de modo a não prejudicar a insolação e aeração dos apartamentos.

A planta quadrada em quatro módulos eliminava a circulação interna e dispunha contíguos banheiro e cozinha para maior economia na construção. A distribuição e número de cômodos eram, contudo, semelhantes aos de outras vilas populares da época. A técnica construtiva era tradicional, com uso de alvenaria e piso de tábuas de madeira. O seu aspecto despojado, com paredes absolutamente nuas, ressaltando o jogo de volumes cúbicos, estabelece a grande diferença em relação a construções similares. Estava nela presente a linguagem plástica utilizada por Warchavchik em seus projetos anteriores: marquises marcando as portas, esquadrias metálicas e lâminas basculantes nas janelas, cobertura em laje plana. O formato curvo da passarela de circulação e balcões de varanda, aliado à pintura verde e

Apartamentos econômicos da Gamboa, de Lucio Costa e Gregori Warchavchik.

havana de sua fachada, contrastam, no entanto, com as linhas predominantemente retas e a cor branca das fachadas modernas dos primeiros tempos. Muitos creditam esses novos elementos à participação de Costa no projeto.

A execução do conjunto serviu, à época, para demonstrar a adequação da linguagem moderna a habitações populares, possibilitando barateamento e rapidez na construção. A repercussão do projeto foi muito limitada, havendo, todavia, crescido, com o correr dos anos, o reconhecimento e interesse por esse trabalho pioneiro. Embora não tenha propriamente inovado em termos de programa, deve-se ressaltar, sobretudo, o bom casamento entre uma linguagem moderna e um programa tradicional. Tal união permite, por vezes, uma dupla leitura: se, por um lado, a pintura verde e havana remete a experiências cromáticas efetuadas por Le Corbusier, por outro aproxima-se das coloridas construções vizinhas dos subúrbios cariocas.

MONLEVADE – TRADIÇÃO/VANGUARDA (1934)

É de 1934 outro projeto de Lucio Costa que, embora não construído, possui grande importância no estabelecimento da postura do arquiteto brasileiro em face de projetos de habitação popular. A Companhia Siderúrgica Belgo-Mineira promoveu concurso para a construção de um conjunto habitacional em zona de prospecção da empresa em Monlevade, Minas Gerais. Compreendia o programa residências e serviços como igreja, armazém e cinema.

Adotou Lucio Costa o sistema estrutural em concreto armado, utilizando pilotis em todas as construções, com exceção da igreja e do cinema. Argumentava ser essa a solução mais lógica para a acidentada topografia do terreno: "... reduzir ao mínimo estritamente necessário as despesas com movimento de terra que, supérfluo se torna frisar, tanto poderiam encarecer o custo global da obra, além de prejudicar o menos possível a beleza natural do lugar."

No que se refere às residências, o uso de pilotis foi acompanhado da adoção do método de pau-a-pique no vedamento das paredes. Liberando o piso da casa do solo do terreno, é superado o problema que a umidade geralmente provoca nas habitações de taipa. Em termos espaciais, havia um ganho de área com a possibilidade de uso do terreno que normalmente seria ocupado pela construção: "Não se está mais à frente ou atrás da casa, mas sob a casa."

O projeto de Monlevade mesclava tecnologia de vanguarda da época – o concreto armado – com um dos mais tradicionais processos construtivos brasileiros. Foram acentuados os possíveis pontos de contato e semelhanças estruturais entre os sistemas, com os pilares de concreto substituindo as palafitas de madeira. Conseguiu ultrapassar, em 1934, uma sólida crença de incompatibilidade entre pesquisas modernas e técnicas do passado.

Cidade dos Motores – cooperação irrealizada com os EUA

Exemplo de plano modelar de habitação coletiva popular foi aquele da Cidade dos Motores, em Xerém, junto à Fábrica Nacional de Motores, no estado do Rio de Janeiro. Idealizada pelo brigadeiro Guedes Muniz, na primeira metade da década de 1940, intentava servir como modelo de cidade industrial para todo o país. Pretendia ser uma autarquia com auto-suficiência em termos de habitação, educação, lazer e alimentação. O comércio seria administrado pelos próprios funcionários, de modo a obter preços mínimos e reversão dos lucros em benefício dos próprios serviços e da proteção social. O modelo seguido era o de cidades industriais americanas, havendo o objetivo de estabelecer remunerações diferenciadas de maneira a instaurar "hierarquia social dependente do próprio valor individual, que é a negação mais eficiente da promiscuidade comunista" (Muniz: 1945, apud Ramalho: 1986).

Em termos de opção arquitetônica, vale reproduzir trecho de discurso pronunciado pelo brigadeiro Muniz na Federação das Indústrias de São Paulo:

> Habituados a ouvir, por todo o Brasil, louvores às habitações individuais, por índole e por descendência, nossa primeira inclinação foi para essas habitações, onde o operário possuísse sua casinha branca e seu quintalzinho pequenino, e se sentisse, assim, mais em casa, mais possuidor da habitação em que morava. Consultamos, porém, Attilio Corrêa Lima, o brilhante urbanista. ... Corrêa Lima e o livro *La ville radieuse* de Le Corbusier convenceram-me totalmente. Na mesma área de terreno onde podíamos abrigar cinco mil pessoas, em casas individuais, modestas, era possível alojar vinte a vinte e cinco mil em apartamentos modernos e confortáveis. Em lugar do quintal sujo e pequenino, os operários poderiam ter à sua disposição grandes parques com piscinas, jardins, campos de esportes e recreio. (Muniz: 1945)

Para a elaboração do plano da Cidade dos Motores, Corrêa Lima associou-se a dois arquitetos radicados nos EUA: o austríaco Paul Lester Wiener e o catalão José Luis Sert. Wiener já havia cooperado com Lucio Costa e Oscar Niemeyer, tendo realizado a arquitetura de interior do prédio do Pavilhão do Brasil na Feira de Nova York em 1938/39. Sert trabalhara com Le Corbusier e projetara o Pavilhão da Espanha na Feira Mundial de Paris em 1937.[1] Com a

1. Sert foi ainda presidente do Ciam (Congresso Internacional de Arquitetura Moderna) de 1947 a 1956, e de 1953 até sua aposentadoria em 1969, dirigiu a Faculdade de Arquitetura e Design da Universidade Harvard.

tomada do poder por Franco em 1939, Sert mudou-se para os Estados Unidos, criando com Wiener a firma Town Planning Associates, que, nos anos 40, aproveitando os ventos da Política da Boa Vizinhança, realizou planos diretores e vários projetos para cidades na América do Sul. A Cidade dos Motores, em colaboração com Attilio Corrêa Lima, foi o primeiro projeto da dupla, que posteriormente concebeu planos para cidades no Peru, Colômbia, Venezuela e Cuba.

A estrutura da Cidade dos Motores, dotada de um centro cívico funcionando como o coração do conjunto, seguia as quatro funções especificadas pelos cânones urbanísticos dos Ciam: moradia, trabalho, diversão e transporte. Buscava-se um aspecto monumental que, através do uso de grandes espaços vazios e da associação de obras de arte à arquitetura, deveria expressar e despertar as aspirações das camadas populares. Não é demais lembrar que esse projeto é contemporâneo do manifesto "Nove pontos sobre monumentalidade", que propunha reencontrar o uso de uma escala monumental, até então rejeitada pela maioria dos arquitetos modernos, assinada pelo próprio Sert, pelo historiador Siegfried Giedion e pelo pintor Ferdinand Léger no mesmo ano de 1943.

De certo modo, o plano da Cidade dos Motores era uma aplicação dos princípios do documento, segundo o qual não deveria haver distinção entre arquitetura e urbanismo, assim como deveriam inexistir fronteiras entre a cidade e sua região (ponto 5 do manifesto). Estavam previstos 20 alqueires para a produção agrícola, laticínios e pecuária, com mais de 300 cabeças de gado e cerca de 9.000 aves para consumo local. Previa-se, ainda, a pavimentação das estradas de acesso, saneamento da região e a construção de um hospital com 200 leitos.

No sétimo ponto de seu texto sobre monumentalidade, Sert, Giedion e Léger afirmavam que "o povo deseja que os prédios que representem a sua vida comunitária e social lhes forneça mais do que mera funcionalidade. Devem atender e expressar os seus desejos por monumentalidade, alegria, orgulho e excitação". Nas palavras de Muniz, buscava-se criar "uma cidade moderna onde a vida humana possa ter a possibilidade de se expandir com alegria, conforto, segurança e dignidade" (Muniz: 1945, apud Ramalho: 1986).

Na Cidade dos Motores, concebida em época na qual se acreditava nos poderes de transformação social do planejamento espacial, a magnitude do urbanismo correspondia às pretensões de mudança e utopia social. O reformismo arquitetônico pretendia, ainda, evitar convulsões sociais mais violentas: "Essa cidade operária representará um tal fator de progresso no estabelecimento de um equilíbrio social justo. ... Pode-se resolver o problema da felicidade, da saúde e do bem-estar do operário e das massas trabalhadoras brasileiras, sem ser necessário o recurso à ditadura de qualquer classe, nem mesmo à ditadura proletária." (op.cit.)

O projeto foi abortado com a decisão tomada pelo presidente Eurico Dutra de interromper a produção dos motores de aviação, jogando a fábrica numa crise econômica que atingiu mortalmente os planos de construção da Cidade dos Motores. A partir de 1949, a fábrica passou ao controle da empresa italiana Isotta Fraschini Spa, que ali passa a produzir, durante quase três décadas, caminhões, utilitários e automóveis de passeio.

Embora na irrealidade, o plano da Cidade dos Motores circulou o mundo nas páginas de revistas como *Progressive Architecture* e *Architectural Review*. Precioso documento da utopia reformadora modernista, a proposta exemplifica, também, a cooperação entre arquitetos do Brasil e dos EUA, cujos pormenores veremos no capítulo sobre a Política da Boa Vizinhança.

Conjunto do Pedregulho (1947)

Em 1947, a prefeitura do Rio de Janeiro resolve construir, em terreno do Departamento de Água e Esgoto, no bairro de São Cristóvão, um conjunto de alojamentos e serviços anexos, destinado aos funcionários municipais de baixa renda. Visa a constituir uma unidade residencial completa e autônoma, dispondo de serviços comuns necessários à vida diária dos moradores. Para o estabelecimento do programa definitivo, foi realizado pelo Departamento de Habitação Popular do município um recenseamento dos futuros habitantes e cuidadosa pesquisa sobre suas necessidades e condições de vida. Foram analisadas 570 famílias (aproximadamente 2.400 pessoas), cujos dados serviram de base para a elaboração do projeto.

Compreendia o programa, além de quatro blocos de habitação, prédios e instalação para mercado, posto de saúde, creche, jardim de infância, escola primária, ginásio, piscina, campos de jogos e lavanderia mecânica. O projeto de Affonso Reidy estabelece, através dos próprios volumes, a diferenciação de funções das construções: o paralelepípedo é usado nos prédios residenciais, o prisma trapezoidal nos edifícios públicos e a abóbada aparece nas construções esportivas.

Um grande edifício, com 260 metros de extensão, seguindo sinuosamente a encosta mais elevada do terreno, possui 272 apartamentos de diferentes tipos: os dois andares inferiores contêm apartamentos de uma só peça. Os apartamentos dos demais andares são dúplex, possuindo de um a quatro dormitórios. A solução de um grande prédio serpenteante, inovadora, à época, justificava-se por economia, ao concentrar as instalações e seguir as curvas do morro, evitando grande movimento de terra; sua colocação no alto do morro propiciava, também, uma bela vista da baía de Guanabara; a solução em dois pavimentos das unidades permitia utilização mínima da testada, possibilitando maior número de apartamentos. O acesso ao edifício era feito através de escadas dispostas a cada 50 metros e por intermédio de passarelas que ligavam o terceiro andar, em pilotis abertos, a uma avenida que corre paralela ao prédio, no topo da colina. Essas duas formas de acesso permitiam dispensar o uso de elevadores, mesmo possuindo o prédio sete pavimentos.

Completam as unidades residenciais dois blocos de 80 metros de extensão, dispostos paralelamente ao pé da colina, com 56 apartamentos dúplex, com dois, três e quatro dormitórios. Foi neles, pela primeira vez, utilizado um bloco cilíndrico separado, contendo a escada em espiral. Além de bom efeito plástico, a solução permitia, ao isolar o acesso vertical, economia e rapidez em sua execução. O quarto bloco residencial não chegou a ser construído; teria 12 pavimentos com elevador e apartamentos de dois, três e quatro dormitórios.

A construção do Conjunto do Pedregulho foi lenta, arrastando-se por mais de 15 anos. Optou Reidy por começar as obras pelos prédios de serviços gerais que consubstanciavam a filosofia básica do empreendimento. À semelhança de Le Corbusier, acreditava firmemente Reidy na ação reformadora da arquitetura que desempenharia forte papel na mudança social. No caso do Pedregulho, estava tal filosofia representada, principalmente, nos prédios de escola, jardim de infância, creche, piscina e ginásio. Sabedor das dificuldades que enfrentaria para concluir a construção, sujeito a mudanças na administração municipal, temia que tais serviços pudessem vir a ser considerados supérfluos. Por outro lado, sabia que as unidades residenciais acabariam sendo concluídas, o que de fato ocorreu, com exceção do bloco de 12 pavimentos.

A demora na construção de unidades residenciais, embora estrategicamente correta, ocasionou um problema. As pessoas originalmente recensea-das raramente se beneficiaram dos apartamentos e, em muitos casos, sua situação familiar e necessidades modificaram consideravelmente com o correr dos tempos. Por outro lado, freqüentemente a mudança para o Pedregulho correspondia a uma ascensão que não era acompanhada por melhoria efetiva de vida, como emprego melhor, remuneração condizente etc. Dessa forma, os moradores se viram diante de espaço que exigia um aumento de repertório econômico-social que não havia ocorrido. Passaram a habitar, como "estrangeiros", organizações espaciais que pressupunham hábitos e modos de vida totalmente distintos dos seus. Algumas vezes, tal fato gerou inadaptações e mau uso de equipamentos.

Detalhe da área de serviço e lazer de uma casa em Monlevade.

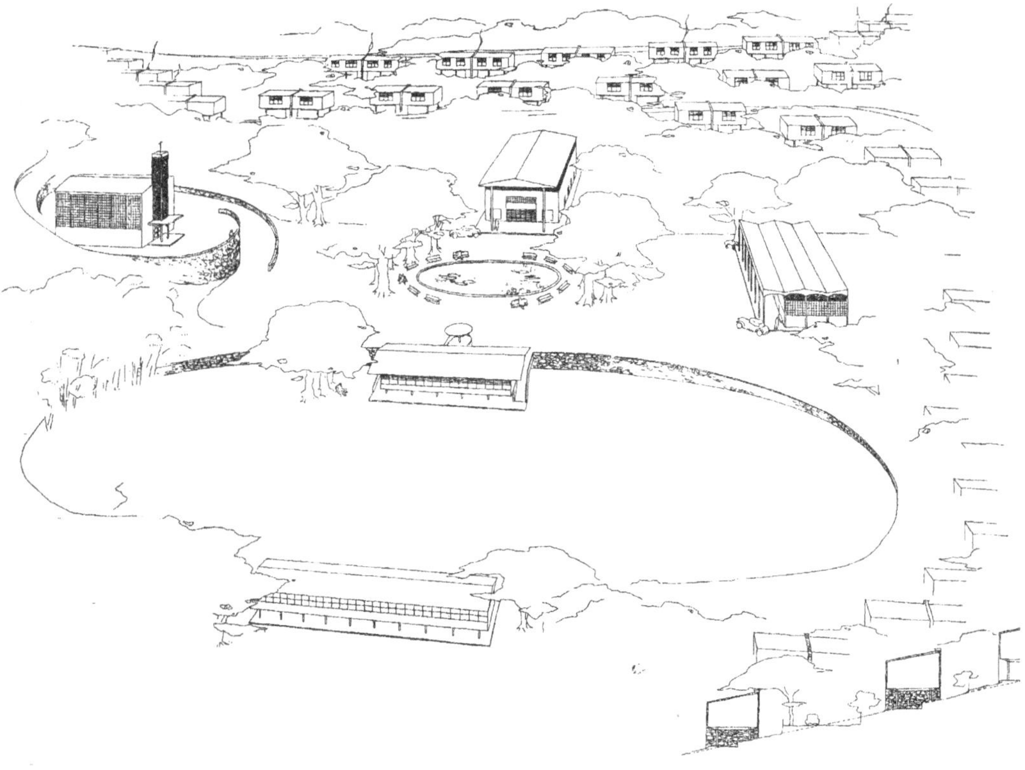

Vista geral do projeto da cidade de Monlevade.

Esse foi o caso de sua lavanderia, que ocupava posição central e função destacada na concepção do conjunto. Traduzia preocupação dupla com assepsia: a limpeza das roupas dos habitantes e a limpeza visual dos próprios prédios – não foram, de propósito, previstos tanques nos apartamentos, com o fito de impedir que a roupa lavada, pendurada para secar nas fachadas, maculasse a estética arquitetônica.

Dispondo de máquinas de lavar e secar e calandra para passar peças grandes, a lavanderia atendia a todos os moradores, em complicado sistema de funcionamento: a dona de casa punha a roupa suja em um saco; entregue na lavanderia, máquina apropriada marcava, invisivelmente, o número do apartamento. Uma vez prontas, as peças de vestuário eram recolocadas no saco que, fechado, passava por nova máquina decodificadora do número impresso; era, então, colocado em escaninho correspondente ao apartamento, de modo a ser devolvido à dona. Assim, de acordo com Carmen Portinho, era garantido anonimato às vestes: "Ninguém sabia se a roupa era isso ou aquilo, ninguém tinha vergonha de levar peças excessivamente sujas ou rasgadas."

A importação de modelo americano/europeu não deu certo. Em pouco tempo, a lavanderia estava fechada, acontecendo aquilo que os criadores do Pedregulho tanto temiam: roupas penduradas nas fachadas e em alguns espaços coletivos dos prédios. As moradoras do conjunto estavam acostumadas a dois tipos de procedimento: lavar, secar e passar sua roupa em casa ou, principalmente aquelas egressas de camadas mais pobres, efetuar a lavagem em tanques contíguos ou coletivos. Não se adaptaram, portanto, ao novo sistema. Algumas lavavam as roupas nas pias da cozinha e do banheiro; outras as levavam em baldes para bicas d'água no terreno, procedendo à lavagem conversando com as vizinhas, como tradicionalmente faziam. A lavanderia foi rejeitada por se chocar frontalmente com os hábitos e a cultura da população. A preocupação com o anonimato das roupas, a impressão invisível em sacos que as escondiam são inteiramente inúteis para mulheres, muitas das quais lavadeiras por profissão, que aproveitam o ato de lavagem como um momento de confraternização coletiva. Parece-me caso exemplar dos problemas ocasionados pela desconsideração, por parte dos planejadores, dos conteúdos simbólicos de atos simples do cotidiano da população moradora de residências econômicas.

O Conjunto do Pedregulho, destinado somente a funcionários da prefeitura do Rio de Janeiro, pretendia ser um ensaio que serviria de padrão para futuras realizações voltadas a um público mais amplo. De acordo com seu arquiteto, Affonso Reidy, o problema da habitação estava intrinsecamente ligado ao do transporte: em grandes metrópoles é enorme o custo e o tempo gastos no percurso de ida ao trabalho e volta ao lar. Desse modo, o Pedregulho é destinado essencialmente a funcionários lotados em repartições municipais próximas. Dispondo de serviços que lhe permitissem certa autonomia, tem na escola o centro e símbolo de sua proposta de ação reeducadora no habitar (cf. Reidy: 1961).

Carmen Portinho, engenheira e companheira de Affonso Reidy, foi a principal ideóloga do projeto do Pedregulho. Buscou implantar no Brasil idéias assimiladas em estágio no programa habitacional da Grã-Bretanha do pós-guerra. Acredita não haver sido completamente bem-sucedida por dois fatores. Primeiro, porque "o nível de civilização lá é outra coisa: não tem esse subúrbio que nós temos"; segundo, pela incompreensão técnica do problema: "Fui acusada de comunista, apenas porque me opunha à venda dos apartamentos. Defendia, a título de aluguel, a dedução de percentual do salário do funcionário. Deste modo, a prefeitura mantinha a propriedade, o controle dos moradores e a boa conservação dos prédios. Isso lá é comunismo?" (Depoimento de Carmen Portinho ao autor em 7 mai 1988)

O projeto do Pedregulho foi entusiasticamente acolhido pelos arquitetos e críticos internacionais. Max Bill, em sua visita para participar da Bienal de São Paulo, foi extremamente ácido com o formalismo que acreditava estar dominando a produção nacional. Destacou o Pedregulho como o mais interessante projeto brasileiro e o único a ter um compromisso "social", indispensável, a seu ver, nas obras modernas. Com a palavra, Carmen Portinho:

> Pedregulho foi feito para chamar a atenção do mundo inteiro. Só assim, aqui no Brasil, aceitariam tal idéia. Le Corbusier, em sua visita de 1962, fez os maiores elogios: "Fiquei admiradíssimo, nunca tive ocasião de realizar obra tão completa, dentro de meus princípios, como vocês realizaram." Isso chamou a atenção de nossos administradores, porque nos projetou internacionalmente. Ninguém faz milagres dentro de casa. (idem)

Forte oposição sofreu por sucessivas administrações municipais que ameaçavam, constantemente, paralisar as obras. "Fomos acusados de comunistas porque não estabelecíamos aluguel, e sim 20% do ordenado do funcionário para cobrir a ocupação dos apartamentos", prossegue a engenheira. No governo de Mendes de Morais, aumentaram as dificuldades, forçando o afastamento de Affonso Reidy. A filosofia básica de proximidade entre moradia e trabalho foi desrespeitada: "Terminaram o prédio principal e começaram a distribuir os apartamentos, a torto e a direito, segundo critérios políticos e protecionistas; a partir daí, desinteressei-me e abandonei o empreendimento", conclui Carmen.

Conjunto do Pedregulho: o ginásio, com painel de Portinari, tendo ao fundo o bloco principal de habitações.

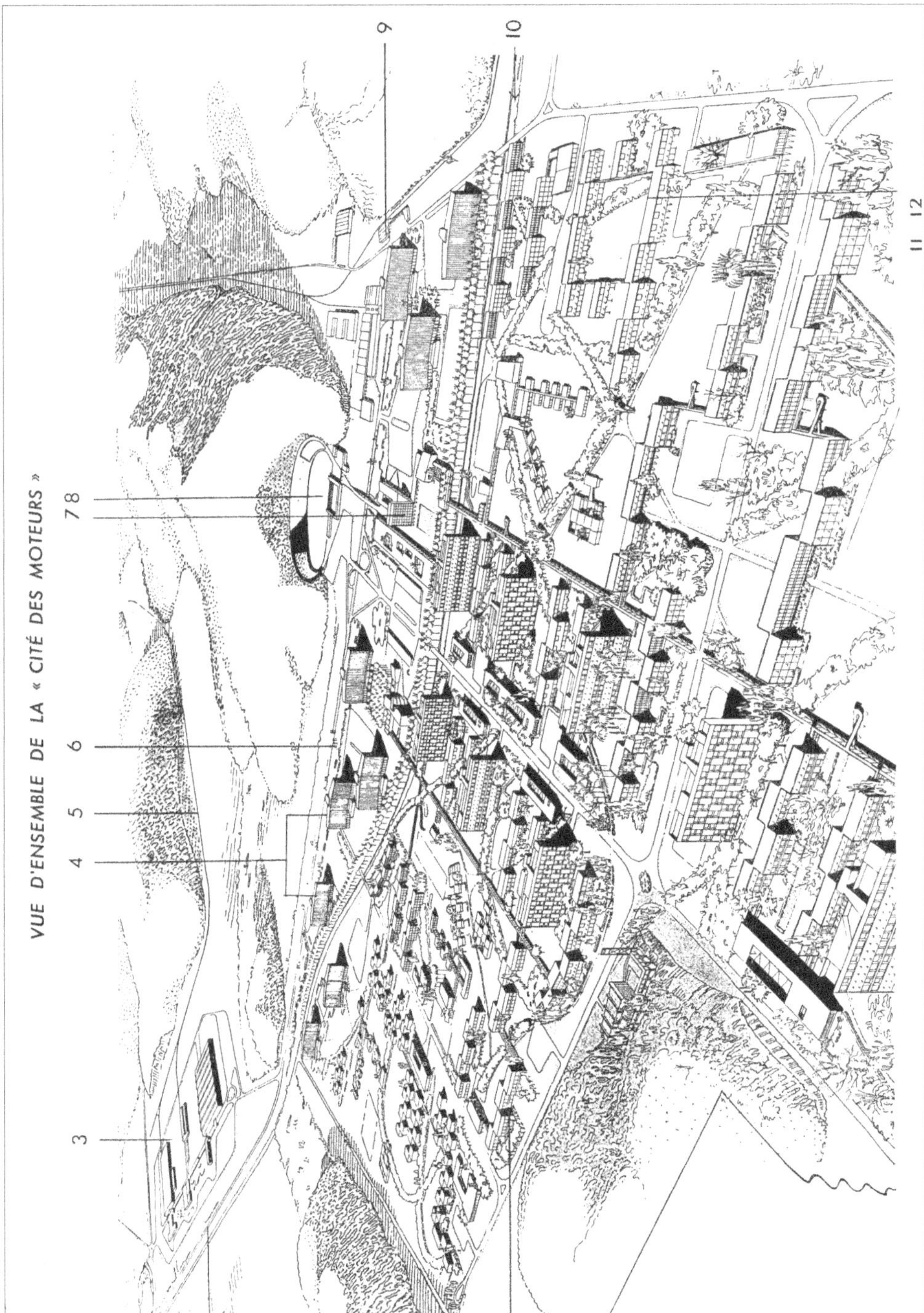

Desenho da Cidade dos Motores, de Paul Lester Wiener e José Luis Sert.

O DILEMA DA UTOPIA IRREALIZADA

No Brasil, os projetos utópicos para habitação popular nunca se realizaram plenamente. Foram usualmente estancados por motivos de ordem política ou econômica – geralmente de iniciativa estatal, sofrem a má vontade de novas administrações que, de modo personalístico, tendem a associá-los à gestão que os concebeu.[2] A intervenção de fatores externos dificulta, por outro lado, estudo mais acurado do conteúdo de seus planos e discursos. Torna-se fácil e tentador atribuir o insucesso dos projetos a causas externas: "O Conjunto do Pedregulho foi inviabilizado pelo 'apadrinhamento' na distribuição dos apartamentos", "Não fosse a crise do pós-guerra a Cidade dos Motores teria sido ótima solução" etc. São deixados de lado a discussão dos princípios norteadores dos projetos, e esquecidos ou minimizados alguns problemáticos fatores que os caracterizariam: imposição de modelos, reducionismo arquitetônico e falta de relativização de conteúdos culturais distintos.

A não-realização plena dos projetos permite que o conteúdo utópico seja sempre retomado, pelo menos como possibilidade. Permanecem irrealizados projetos e críticas. Uma vez que a experiência não é levada às últimas conseqüências, é igualmente impossível constatar sua inexeqüibilidade. Adquire a questão, no Brasil, contornos de dilema: a utopia, embora nunca realizada, volta, ciclicamente, como solução possível.[3]

2. Sobre política e relações personalistas, ver Da Matta: 1979.
3. Em contraste, na Grã-Bretanha, país cujos modelos inspiraram o Conjunto do Pedregulho, é implantado, do pós-guerra até os anos 70, intenso plano de unidades residenciais. Foram publicados inúmeros estudos de avaliação e crítica, dentre os quais destaco *Utopia on Trial*, de Coleman: 1985, e *A social history of housing: 1815-1985*, de Burnett: 1986.

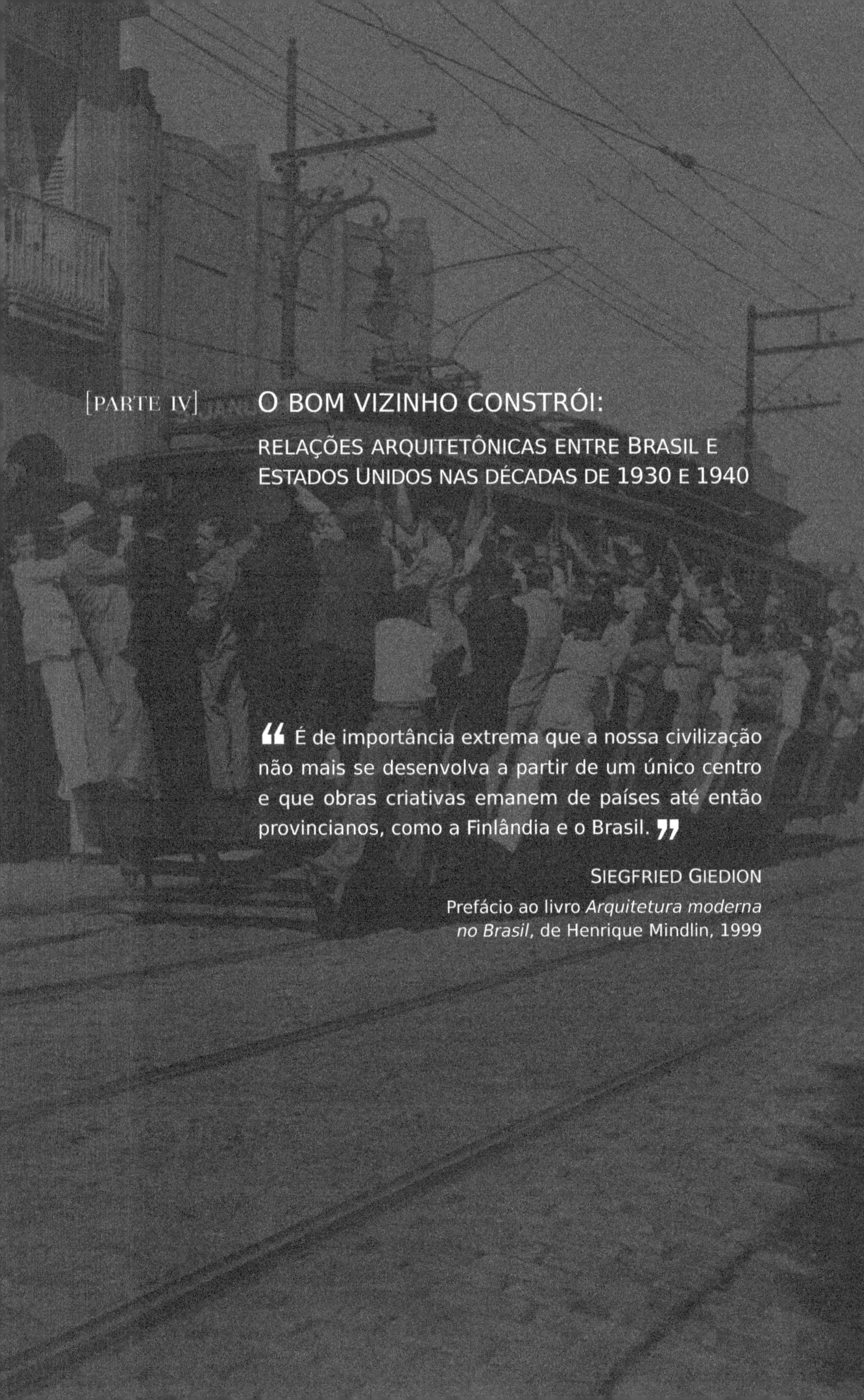

[PARTE IV]

O BOM VIZINHO CONSTRÓI:

RELAÇÕES ARQUITETÔNICAS ENTRE BRASIL E ESTADOS UNIDOS NAS DÉCADAS DE 1930 E 1940

“ É de importância extrema que a nossa civilização não mais se desenvolva a partir de um único centro e que obras criativas emanem de países até então provincianos, como a Finlândia e o Brasil. ”

SIEGFRIED GIEDION

Prefácio ao livro *Arquitetura moderna no Brasil*, de Henrique Mindlin, 1999

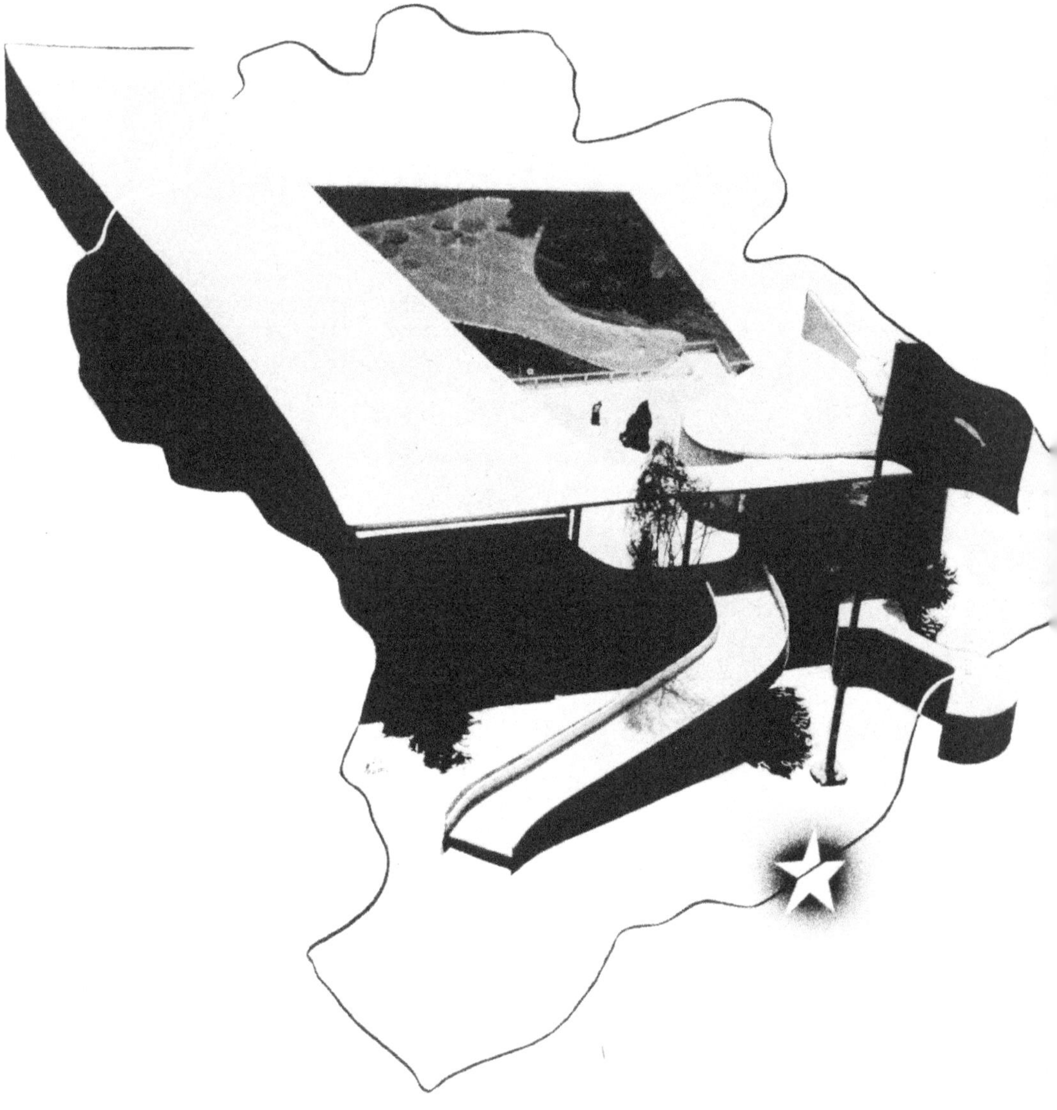

CAPÍTULO 10

A Política da Boa Vizinhança

A história da arquitetura moderna brasileira só é compreensível se relacionada ao campo arquitetônico internacional ao qual estava permanentemente referida. Não diferente de outros países do novo mundo, o modernismo chegou ao Brasil graças à migração ou visita de alguns profissionais europeus, retorno de brasileiros que estudaram na Europa e, principalmente, entusiasmo pelo novo estilo por parte das gerações mais jovens de arquitetos.

O movimento nasceu em São Paulo. O ano de 1925 assinala dois manifestos paulistas, com sotaque italiano, a favor do novo estilo: "Acerca da arquitetura moderna", de Gregori Warchavchik – arquiteto russo que se formara e trabalhara com Marcello Piacentini em Roma –, e a carta enviada da Itália pelo ainda estudante Rino Levi, defendendo a renovação da arquitetura e do urbanismo brasileiros. Foram também significativas, nos primeiros tempos modernistas, as propostas ousadas de Flávio de Carvalho.[1] A arquitetura moderna saiu do papel em 1928 – de modo acanhado e sem explorar, ainda, as possibilidades plásticas dos novos materiais – na casa que Gregori Warchavchik, recém-casado, projeta para si e sua esposa, Mina Klabin. O pioneiro realiza, um ano depois, a bela casa cubista da rua Itápolis, que prenunciava a força que o movimento iria adquirir mais adiante.

Até meados dos anos 30, a arquitetura não apresentava nenhuma surpresa entre nós, sendo aplicada com correção e timidez aos ares tropicais. Parecia, apenas, uma nova

O Pavilhão de Lucio Costa e Oscar Niemeyer, colocado sobre o mapa do Brasil, figurava na capa do folheto distribuído pelo governo brasileiro na feira de Flushing Meadows.

1. Flávio de Carvalho (1889-1973) era engenheiro e artista plástico. Produziu uma gama de propostas, prédios e provocativos trabalhos, como a performance na qual trajava uma saia ao circular em pleno centro comercial da cidade de São Paulo nos anos 50.

importação, diferente na forma mas similar no espírito a tantas outras já realizadas nas arquiteturas dos séculos anteriores. Esse quadro foi radicalmente alterado a partir de 1936, através dos contatos da equipe brasileira com Le Corbusier e da releitura tropical de seus princípios para a construção do prédio do Ministério da Educação e Saúde. Foi a primeira realização de um prédio moderno monumental, provando que o estilo poderia adquirir tal escala e, não menos importante, que ele seria convenientemente aplicável a regiões com temperaturas diversas do clima temperado europeu. Esses dois aspectos contribuíram para tirar a timidez da arquitetura brasileira que, a partir daí, passa a se relacionar de modo mais original e maduro com a linguagem moderna e com a cena internacional. Paralelamente à construção da sede do Ministério, Lucio Costa formula inéditos princípios teóricos articulando tradição e vanguarda e, anos depois, Oscar Niemeyer desenha o conjunto da Pampulha (1942-43), que abre novas possibilidades para o estilo em escala planetária. Nos anos 40 e 50, uma nova geração de arquitetos brasileiros realizou uma ampla, original e variada produção moderna. Brasília (1956-60) fecha um período que poderíamos chamar de Alto Modernismo brasileiro, como a única cidade no mundo construída integralmente nos moldes do urbanismo moderno.

Como o Brasil, um país periférico, pôde contribuir para a linguagem internacional da arquitetura, uma área que envolve tecnologia, altos custos e sofisticação do usuário? A falta de oportunidades no estratificado e conservador campo arquitetônico europeu – agravada pela crise econômica relacionada à Segunda Guerra Mundial – fazia com que alguns arquitetos, sem obras, se limitassem a difusores e escritores de vanguarda arquitetônica, como era o caso de Le Corbusier. Este último, assim como Donat Agache e o italiano Marcello Piacentini, viu uma possibilidade de concretizar as suas idéias no nascente mercado estatal brasileiro, estabelecendo contatos e alianças para construir no Rio de Janeiro.

Diversamente dos EUA, nenhum europeu de reputação estabelecida, como Mies van der Rohe, Walter Gropius ou Marcel Breuer, se radicou no Brasil. Na década de 1930, Auguste Perret visitou o Rio de Janeiro, encontrando Gustavo Capanema, de quem ouviu os planos para a construção da cidade universitária e a sede do Ministério da Educação e Saúde. Idoso e firmemente estabelecido no mercado francês, Perret não se entusiasmou em desenvolver uma "aventura" nos trópicos – empreitada finalmente aceita por Le Corbusier, cujo contato com os jovens arquitetos brasileiros, como vimos na Parte I, foi fundamental para o amadurecimento do modernismo brasileiro.

A história internacional do início da arquitetura moderna brasileira não se restringiu, entretanto, apenas ao contato com renovadores europeus. No final dos anos 30 e início dos 40, dois fatos envolvendo os Estados Unidos foram centrais para a consolidação de nosso estilo moderno, bem como para a afirmação de sua independência e autonomia em relação aos modelos europeus iniciais. São esses dois episódios que examinaremos a seguir.

No final dos anos 30 e início dos 40, o governo Vargas oscilava entre manter a neutralidade ou entrar na guerra do lado do Eixo ou dos Aliados. Enquanto isso, buscava benefícios e acordos comerciais com os dois lados.

Dois países desempenhavam papéis importantes no cenário político, econômico e cultural brasileiro: Alemanha e Estados Unidos. O presidente Vargas mantinha excelentes relações ideológicas, econômicas e familiares com os países do Eixo. Para setores de seu governo, incluindo boa parte dos militares, o modelo de desenvolvimento através de um Estado forte e a extraordinária recuperação econômica germânica, após o Tratado de Versalhes, pareciam ser um excelente modelo a seguir. A aproximação com a Alemanha era percebida como uma alternativa à dominação da Grã-Bretanha e defendida em obras de Gustavo Barroso, Carlos Maul e no livro de Dunshee de Abranches *A ilusão brasileira: justificativa histórica de uma atitude*, que, embora publicado em 1917, circulava com desenvoltura em alguns círculos do poder nos anos de 30 e início dos 40. No começo do processo do desenvolvimento industrial brasileiro, era forte a presença de companhias alemãs; a criação do Dia da Raça Brasileira foi inspirada nas questões de eugenia exercidas pelos regimes nacional-socialista e fascista. A legislação de trabalho, criada pelo novo regime, possuía claras conexões com a Carta del Lavoro da Itália fascista. No plano familiar, o filho de Vargas, Lutero, foi estudar medicina cirúrgica em Berlim, onde esposou uma jovem alemã, Ingeborg Ten Haeff.[2]

No âmbito do Ministério da Educação e Saúde, Gustavo Capanema recorre, principalmente, a fotógrafos alemães[3] para compor as imagens de um livro intitulado *A obra getuliana*, dedicado a documentar o país e celebrar as realizações do Estado Novo, a ser lançado em 1940, por ocasião do décimo aniversário de Vargas no poder. Entre tais feitos, computava-se o "homem brasileiro", considerado como uma criação em processo do novo regime.

2. Ingeborg Ten Haeff (1915-) é uma talentosa pintora, havendo esposado, em 1948, seu segundo marido, Paul Lester Wiener. Tornou-se uma figura importante no cenário nova-iorquino, amiga de Alexander Calder, Marcel Duchamps, William de Kooning, Philip Johnson e outros artistas. Encontra-se ativa e, após o falecimento de Lester Wiener, em 1967, casou-se, nos anos 70, com John Githens, escritor e intelectual nova-iorquino.

3. Eric Hesse, Peter Lange, Arno Kikoler, Paul Stille e Erwin von Dessauer. Além destes havia fotos de Epaminondas, fotógrafo de plantão do DIP, e de Jean Manzon.

As fotos compreendiam, ainda, a natureza, esportes, agricultura, educação física, o exército e panoramas dos centros das principais cidades.

Era uma síntese do Brasil através de lentes germânicas, formadas por um olhar ágil e formalmente rigoroso, advindo da nova fotografia nascida em Weimar, que havia sido incorporado pela estética nacional-socialista: mesmo as cenas mais banais da vida cotidiana aparecem cercadas de uma solenidade épica. Os exercícios de educação física parecem emergir de um filme de Leni Riefenstahl e a praia de Copacabana perde seu ar tropical, exalando uma beleza solene e fria.

Após a definição de apoio e posterior entrada na guerra ao lado dos Aliados, o livro permaneceu impublicado.[4] O conjunto de fotos demonstra que se trataria, por um lado de uma documentação peculiar do presente e, por outro lado, de uma antecipação da estética do futuro, caso o Brasil viesse a sofrer uma influência germânica mais forte. Dois desses fotógrafos, Eric Hess e Peter Lange, colaboraram estreitamente com o recém-nascido Serviço de Patrimônio, havendo legado uma preciosa documentação de monumentos na fase inicial de redescobrimento da arquitetura tradicional.

É inevitável e reveladora a comparação das imagens germânicas com aquelas de Genevieve Naylor, posteriormente exibidas no Moma em 1943 sob o nome *Faces and Places in Brazil*, feitas mais ou menos na mesma época. Fotógrafa de sucesso na área de moda, presença constante nas revistas *Harper's Bazaar* e *Fortune*, os seus registros alternam instantâneos de um Brasil *chic* e urbano com cenas das camadas populares. Um tom realista e etnográfico nos retratos dos mais pobres contrasta com o tom épico das fotos alemãs.

A fotógrafa veio ao país sob os auspícios da Política da Boa Vizinhança, implantada nos Estados Unidos sob o comando de Nelson Aldrich Rockefeller,[5] visando aumentar a influência política, econômica e cultural norte-americana na América Latina, com especial atenção para países como Argentina e Brasil, que tinham fortes laços comerciais com Alemanha e Itália. O jovem milionário nova-iorquino, cuja família era dona, dentre inúmeras empresas, da Standard Oil e do Chase Manhattan Bank, havia sido designado pelo

4. Foi acertado um acordo em que, em troca da permissão de instalar uma base aérea militar em Natal e do término da neutralidade brasileira, os EUA financiariam a siderúrgica de Volta Redonda e a Fábrica Nacional de Motores, e ofereceriam vantagens fiscais para entrada do café brasileiro no mercado norte-americano, além do monopólio de fornecimento desse produto para o exército ianque. Entre 1944 e 1945, o Brasil enviou para lutar na Europa um contingente de 25 mil soldados, constituindo-se no único país sul-americano a combater diretamente na Segunda Guerra Mundial.

5. Para detalhes biográficos, ver *The Imperial Rockefeller: a biography of Nelson A. Rockefeller*, de Joseph Persico.

Gustavo Capanema, Raul Leitão da Cunha, Augusto Perret e outros, durante visita à Escola Nacional de Belas Artes.

Da esquerda para a direita: Lucio Costa, Frank Lloyd Wright e Gregori Warchavchik.

Da esquerda para a direita: Eurico Gaspar Dutra (de farda), Aristides Guilhem (de farda), Gustavo Capanema (de terno preto), Getúlio Vargas (sentado), Darcy Vargas e Nelson Rockefeller (segurando uma criança) assistindo à Parada da Juventude Brasileira.

Na seqüência (até a p.155), fotos alemãs que integram *A obra getuliana*: Escola do Estado Maior do Exército, na Praia Vermelha, Rio de Janeiro.

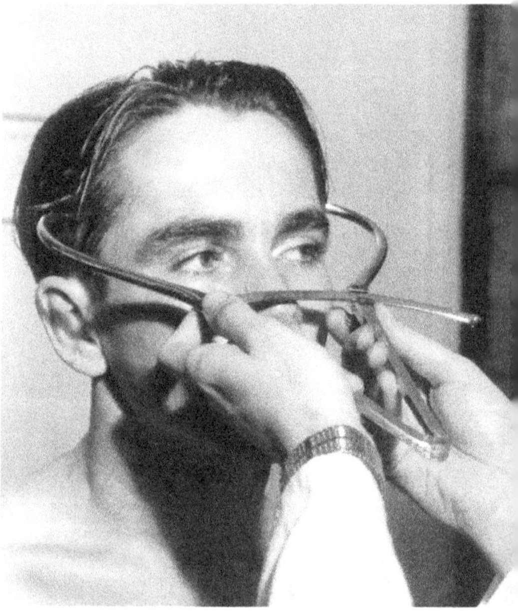

A importância do físico, nas lentes alemãs: alunos em aulas de educação física (à esquerda e na página ao lado) e exames do concurso para o funcionalismo (acima).

A ordem e a grandeza representadas pelas colunas do Colégio Universitário, no Rio de Janeiro.

Alpinista escala o Dedo de Deus, em Magé, no estado do Rio de Janeiro.

A praia de Copacabana, no Rio de Janeiro, vista com frieza e distanciamento...

... E a visão calorosa da norte-americana Genevieve Naylor: o movimento da calçada da avenida Atlântica, em frente ao hotel Copacabana Palace.

O bonde Centro-São Januário, flagrado pelas lentes de Naylor, no Rio de Janeiro.

presidente Roosevelt para chefiar o Departamento de Relações Interamericanas (OCIAA), criado em 1940. A América do Sul passara a ser um local estratégico para a América do Norte, que estava cada vez mais envolvida em apoiar a Grã-Bretanha e a França em seus malsucedidos esforços para frear a poderosa Alemanha. Além da necessidade de estabelecer uma base aérea para as aeronaves que cruzavam o Atlântico rumo à guerra, interessava-lhes expandir a atuação das empresas norte-americanas, de modo a dominar os negócios no continente sul-americano, crescentemente polvilhado de produtos alemães.[6]

Um dos primeiros atos de Rockefeller foi encomendar uma pesquisa a George Gallup, expoente na investigação da opinião pública. Realizado em várias cidades dos EUA e em quatro países da América do Sul, o trabalho apontou que o mais forte empecilho ao êxito da Política da Boa Vizinhança era o preconceito recíproco existente entre as populações norte e sul-americanas. Para os americanos do norte, os latinos eram demasiadamente "emotivos, sentimentais e irresponsáveis". Estes, por seu turno, consideravam os estadunidenses "frios, interesseiros e não-confiáveis". A pesquisa apontava, ainda, que o modo mais eficiente de melhorar as representações e buscar aproximar os povos seria a via cultural. Através de ações recíprocas, buscar-se-ia fazer conhecer as características dos continentes, buscar pontos de contato e entender melhor as diferenças.

É criado, no interior do Departamento de Relações Interamericanas, um departamento cultural cuja chefia é confiada ao arquiteto Wallace Harrison. Profissional ligado a Nelson Rockefeller, havia projetado a "Cidade X", um conjunto de prédios de aparência moderna e dispostos em renque destinado à área na beira do East River, na qual acabou sendo construída a sede das Nações Unidas. Harrison havia sido o arquiteto-chefe da Feira de Nova York e responsável por seus prédios-símbolos, o Trylon e a Esfera. Era, também, um velho conhecido dos brasileiros Costa e Niemeyer, que trabalharam em seu escritório durante a permanência em Manhattan, no ano de 1938.

O departamento cultural buscava atuar em diferentes níveis, com algumas ações destinadas a um público erudito e outras ao grande público. Não possuindo uma dotação orçamentária gigantesca, entre as poucas ações que financiava diretamente estavam as viagens de intelectuais e formadores de opinião dos países sul-americanos aos EUA. Sérgio Buarque de Hollanda e Érico Veríssimo foram alguns dos beneficiados, sendo que o último, após

6. Para mais detalhes sobre o interesse estratégico dos EUA no Brasil, ver *O imperialismo sedutor: a americanização do Brasil na época da Segunda Guerra*, de Antonio Pedro Tota.

uma estada de seis meses, produziu o livro *Gato preto em campo de neve*. Por sugestão direta do presidente Franklin Roosevelt, o escultor Jo Davidson foi enviado à América do Sul para realizar bustos dos "presidentes-permanentes", eufemismo pelo qual passaram a ser chamados os ditadores sul-americanos, inclusive pela imprensa norte-americana. Jo Davidson, um homem de idade avançada e escultor bastante conhecido nos EUA por seus bustos de personalidades do meio artístico e intelectual, acabara de se casar com uma jovem assistente, e enxergou na missão uma excelente oportunidade de realizar uma lua-de-mel com todas as despesas pagas, além de um pró-labore pelas esculturas. De quebra, produziu um delicioso relato de seus contatos com os chefes de Estado sul-americanos (ver Davidson: 1942). Utilizando um tom vagamente irônico, descrevia as sessões de poses, o interior dos palácios presidenciais e a atitude do retratado. No caso de Getúlio Vargas, precisou recorrer ao auxílio de sua filha, Alzira, para obter duas tardes de disponibilidade do presidente para as poses. Descreveu o ar reservado de Vargas, vestido em robe de veludo grená, e sua curiosidade, descontração e agrado à medida que o trabalho progredia.

No terreno de música erudita, visitaram-nos companhias de balé e a Orquestra Sinfônica de Nova York, sob a batuta de Leopold Stokowski. Heitor Villa-Lobos, Francisco Mignone e Camargo Guarnieri foram convidados a se apresentar nos EUA. Em 1944, o criador das *Bachianas* lá permaneceu por longo tempo, regendo, em programas dedicados a suas obras, a Orquestra de Boston e a de Nova York.

A principal atuação do departamento cultural dava-se com orçamento descentralizado, através das grandes empresas já existentes. Uma revista nos moldes da *Time-Life*, *Em Guarda*, era editada pelo OCIAA em português e espanhol, ao mesmo tempo que foi incentivada a publicação no Brasil da *Seleções do Reader´s Digest*, uma compilação resumida de artigos que apareciam na imprensa norte-americana e que, tendo como um dos redatores locais Afrânio Coutinho, obteve grande sucesso entre nós.

O rádio era outro importante e necessário meio de difusão, uma vez que programas da Rádio Berlim eram populares nos lares brasileiros. Pouco após a criação do OCIAA, o Rio de Janeiro recebeu a visita oficial de William Pasley, presidente da principal cadeia de rádio norte-americana, a Columbia Broadcast System (CBS). Pasley acertou com Lourival Fontes, chefe do Departamento de Imprensa e Propaganda (DIP), a retransmissão em português de vários programas de emissoras dos EUA, como a própria CBS, a National Broadcast Company (NBC) e a General Sound Corporation (GSC). Programas como *Américas em Guerra*, *Radioteatro das Américas*, *Acredite se Quiser*, *Espírito de Vitória*, *Palavras Aladas* e o musical *Favoritas*

Getúlio Vargas contempla a sua imagem esculpida pelo artista norte-americano Jo Davidson.

The Arctic to the Antarcti

The Brotherhood Of the Americas

With Brazil's Foreign Minister Aranha (left) Nelson Rockefeller, Co-ordinator of Inter-American Affairs, is shown during Rio conference. It was one of a dozen held during past year.

Artigo na imprensa norte-americana sobre o Brasil e a irmandade das Américas.

do Público Americano formavam o que se convencionou chamar de "Cadeia Pan-americana". Em reciprocidade, alguns programas seriam emitidos do Brasil para a América do Norte. Um dos mais memoráveis e solenes foi a transmissão pela Blue Network, em 18 de abril de 1942, de uma festa no Cassino da Urca organizada pelo embaixador norte-americano Jefferson Caffery, em nome de Franklin Roosevelt, para homenagear o aniversário de Getúlio Vargas. Orson Welles foi o mestre-de-cerimônias da festa e locutor do programa que, além das maiores autoridades brasileiras e representantes dos países do continente, contou com os principais músicos brasileiros da época. Antecipando inúmeras hipérboles verbais, Welles abriu a cerimônia saudando Vargas como "o grande e bom amigo do presidente Roosevelt, a quem todos os americanos, do fundo do coração, desejavam felicidades" (ver Tota: 2000, p.120-6).

O departamento cultural, aproveitando o crescente prestígio dos filmes de Hollywood, utilizou o cinema como o mais efetivo elemento de propaganda e persuasão a favor do modo de vida norte-americano. O Brasil constituía, além do mais, um dos mais promissores mercados de exibição cinematográfica do continente. John Hay Whitney, um dos principais executivos de Hollywood, em viagem análoga àquela do presidente da CBS, diagnosticou nosso mercado e visitou Lourival Fontes, acertando com o DIP um programa de cooperação na área do cinema. Foi agendada a vinda de várias estrelas que funcionavam como "embaixadores culturais", dentre as quais Douglas Fairbanks Jr., George O'Brien, Henry Fonda e Errol Flynn, este recebido pelo próprio presidente Vargas no Palácio do Catete. Suas estadas compreendiam o comparecimento a uma estréia de gala, entrevistas na imprensa sobre suas carreiras, a indústria de cinema e o cotidiano norte-americano, além da visita a uma obra social comandada pela primeira-dama do país ou a um hospital infantil.

No bojo dos esforços da boa vizinhança, vários filmes exibem, com maiores ou menores gafes culturais e geográficas, cenas passadas na América do Sul. Seguindo os passos cariocas de Fred Astaire no precursor *Voando para o Rio*, de 1933, em *Charlie Chan in Rio*, de 1941, o detetive persegue malfeitores na cidade, enquanto, no ano seguinte, em *Now, Voyager*, Bette Davis, encarnando Charlotte, recupera-se de depressão nervosa no Rio, onde encontra um novo amor.

O OCIAA recomendou expressamente à Fox um incentivo maior à nascente e promissora carreira de Carmen Miranda, que, em 1940, participa, com destaque, de *Serenata tropical*, ambientado em Buenos Aires. Foi a contribuição que faltava para que os norte-americanos, com sua inabalável inaptidão para a geografia alheia, aprendessem, em definitivo, que a cidade portenha era a capital do Brasil. Em 1941, igual sucesso obtém Carmen em seu único filme hollywoodiano ambientado no Rio: *Uma noite no Rio*, no qual, entre números musicais, disputa e perde o coração de Don Ameche para Alice Faye, uma das principais artistas da época.[7]

Um dos principais colaboradores do cinema nos esforços de guerra era o estúdio de Walt Disney. Cerca de 90% das suas atividades situavam-se na esfera governamental, produzindo filmes de treinamento e propaganda do exército. Foram feitas peças educativas na área da saúde – prevenção da malária, tifo, cuidados gerais de higiene etc. – para exibição em países periféricos e menos favorecidos. Comédias curtas eram ainda produzidas com o objetivo de levantar o moral dos civis e, sobretudo, dos combatentes na Europa.

Wallace Harrison e Nelson Rockefeller convocam o criador de Mickey para entrar, pessoalmente, na campanha da boa vizinhança. Disney viaja pelo continente sul-americano, ficando 15 dias no Rio de Janeiro. Durante essa permanência, concebeu o personagem Zé Carioca. Era ele um papagaio, vestido de malandro carioca, amigo do Pato Donald. Personificavam o que "bons vizinhos" deviam ser: embora com personalidades opostas – o papagaio expansivo e despreocupado, o pato irritado e tenso – eram amigos e integrantes da mesma classe, a das aves. Um belo exemplo para americanos do norte e do sul. Disney concebeu três filmes estrelando tais personagens: *Alô, amigos* (1942) – uma viagem pelo continente –, *Aquarela do Brasil* (1942), no qual Zé Carioca guia o Pato Donald pelas ruas e paisagens cariocas durante o carnaval, e *Os três cavalheiros* (1944), que combinava, precursoramente, desenhos e atores, com participação de Aurora Miranda e dos dois pássaros nas ladeiras da Bahia. Sucessos simbólicos da boa vizinhança e de bilheteria.

A mais ousada realização cinematográfica foi o projeto *It's All True*, que a RKO confiou ao jovem diretor de maior sucesso no país: Orson Welles, que acabara de obter estrondoso sucesso com *Cidadão Kane*. A idéia de produzir o filme foi, de certo modo, uma resposta aos anseios do governo brasileiro no sentido da realização uma grande produção que mostrasse nosso carnaval ao mundo, expresso pelo chefe do DIP, Lourival Fontes, quando visitado pelo representante da indústria cinematográfica, Hay Whitney. Tudo facilitado pelo fato de que a família de Rockefeller detinha substancial cota das ações da RKO. Na ótica dos bons vizinhos, o filme seria um documentário sobre o

7. Mais detalhes em *Carmen: uma biografia*, de Ruy Castro (2005), *Este mundo é um pandeiro*, de Sérgio Augusto (1989), ambos publicados pela Companhia das Letras, e em *O Rio de Janeiro que Hollywood inventou*, de Bianca Freire-Medeiros (2005), lançado pela Jorge Zahar.

Brasil, de modo a desvendar o país para os norte-americanos. Grande Otelo é escolhido para ser o anfitrião que apresentaria ao espectador o Rio, o carnaval, as favelas e a música ali produzida, o samba. No esboço inicial, havia a determinação de associar o samba ao jazz e a favela carioca ao Harlem. Planos posteriores previam fazer tal analogia com o Mardi Gras em Nova Orleans, apresentado por ninguém menos que Louis Armstrong.

Welles enxerga no convite do OCIAA uma oportunidade de mesclar realidade e ficção e experimentar novas linguagens em filme autoral, no qual comporia o roteiro em resposta às impressões que o país lhe causasse. Do ponto de vista pessoal, pareceu-lhe boa chance de se afastar da Califórnia, do difícil casamento com Dolores del Rio e dos inimigos profissionais que o sucesso de *Kane* lhe rendera. Chegando ao Rio, hospedado no Copacabana Palace, o jovem diretor percebeu que a realidade era muito mais complexa do que o rascunho inicial. Amplia o escopo do filme, ao mesmo tempo que se entrega aos prazeres noturnos e alcoólicos do fascinante Rio de Janeiro do início dos anos 40.

Preocupantes notícias chegam a respeito da montagem de seu segundo filme, *The Magnificent Ambersons*, pela produtora, à sua revelia. Inúmeros são os relatos de suas bebedeiras na suíte do Copa, seguidas de ataques à mobília de sua suíte, por vezes arremessadas janela abaixo. O tempo passa e Welles obtém generosas ampliações do orçamento. Isso antes que, em Los Angeles, os executivos da RKO vissem alguns dos rolos filmados durante o carnaval. Desagradam-lhes, enormemente, as tomadas quase etnográficas, com hordas de pessoas sumariamente vestidas pulando cem cessar. Não lhes causa bom impacto, igualmente, a escolha de Welles por narrar o filme na primeira pessoa, abandonando o tom frio e imparcial então em voga. A impressão no Rio, junto ao governo brasileiro, não havia sido melhor. Irritou-lhes a imagem primitiva que emanava das cenas de carnaval e, sobretudo, o destaque e tom de denúncia dado por Welles ao desaparecimento da praça Onze, o berço do samba, para dar passagem à avenida Getúlio Vargas. Parecia-lhes que o diretor virava os olhos às grandes realizações para enfocar lados arcaicos dos quais o Estado Novo queria, na realidade, se livrar. Sentimento comum de frustração compartilharam os gerentes da operação em Hollywood, Washington e Rio de Janeiro: crítica e denúncias de desigualdade social substituíram as esperadas belas cenas que incrementariam o turismo e o entendimento entre os povos. O desagrado piorou quando Orson decidiu filmar um terreiro de macumba em morro carioca, pensando estar revelando as raízes ocultas do samba.

De modo a evidenciar o contraste entre o Rio dionisíaco e a escassez de outras partes do Brasil, decide incluir em *It's All True* uma história passada entre pescadores do Ceará. Aproveita uma viagem épica de jangada, do Ceará à capital federal, empreendida para solicitar ao presidente Vargas a inclusão da categoria de pescadores na lista de profissões protegidas pela Consolidação das Leis Trabalhistas. Tudo ia relativamente bem, até que o diretor norte-americano solicitou que a jangada voltasse à água próximo à avenida Niemeyer para tomadas de um ponto mais alto. O mar batia forte, a jangada virou e o líder, Jacaré, morreu afogado. Welles, culpabilizado pelo acidente na imprensa, caiu em forte depressão, agravada pela notícia de que nenhum dólar suplementar seria dedicado ao filme. De nada adiantaram seus argumentos de que os quilômetros de negativos filmados em 16 milímetros deveriam ser considerados rascunhos para uma filmagem profissional, a cores e em 35 milímetros, de rápida e segura execução. O projeto foi suspenso, os negativos guardados em depósito e a carreira de Orson demorou para ser retomada, jamais com o mesmo prestígio anterior à sua aventura tropical.[8]

8. Rogério Sganzerla fez dois brilhantes filmes sobre a epopéia de Orson Welles no Brasil: *Nem tudo é verdade* (1986) e *Tudo é Brasil* (1997). Deve ser igualmente visto o filme *It's All True* (1993), de Richard Wilson, Myron Meisel e Bill Krohn, um relato da aventura brasileira de Welles a partir das cenas originais de 1942.

CAPÍTULO II

A Arquitetura do Bom Vizinho

Para o exame específico da formação de uma linguagem arquitetônica brasileira, no bojo da Política da Boa Vizinhança, interessa-nos examinar dois episódios e suas conseqüências: o projeto e construção do Pavilhão do Brasil na Feira de Nova York (1939-40), autoria de Oscar Niemeyer e Lucio Costa, e a mostra itinerante organizada pelo Museu de Arte Moderna de Nova York (Moma), "Brazil Builds: Arquitetura nova e antiga, 1652-1942", que, inaugurada em janeiro de 1943, viaja por 48 cidades das Américas até 1946.

Esses dois episódios envolvem prédios, eventos e instituições que desempenharam um papel central nas cenas arquitetônicas brasileira e internacional: a Feira de Nova York foi um importante palco de difusão e propaganda das culturas nacionais, onde a maioria dos principais arquitetos teve a ocasião de se encontrar e conhecer a produção feita em escala mundial. Na mesma época, o Museu de Arte Moderna de Nova York havia se tornado o mais influente centro mundial para a difusão do modernismo.

O Moma havia sido criado em 1929 por Ms. Lillie P. Bliss, Mrs. Cornelius J. Sullivan e Mrs. John D. Rockefeller, Jr. – mãe de Nelson Rockefeller –, com o objetivo de ajudar a compreensão e fruição das obras de arte produzidas no presente. Movia-lhes, igualmente, a intenção de construir o maior museu de arte moderna no mundo. Na definição de seu primeiro e mais importante diretor cultural, Alfred Barr Jr.: "Este museu é um torpedo movendo-se através dos tempos, cuja cabeça é o presente que sempre avança e a cauda um evanescente passado de 50 a 100 anos atrás." (entrevista a *Newsweek*, 1º jun 1964)

O organizador da mostra "Brazil Builds", Philip Goodwin (à esquerda), com os escultores Maria Martins, embaixatriz do Brasil nos EUA, e Jacques Lipchitz na abertura da exposição no Moma.

Depois de funcionar, com grande sucesso, em três sedes provisórias, o Moma ganha sua sede própria em 1939, projetada pelos arquitetos Edward Stone e Philip Goodwin, passando a funcionar com uma estrutura multidepartamental que compreendia os setores de Pintura e escultura; Desenho, gravuras e livros ilustrados; Arquitetura e design; e, por fim, Filme, vídeo e fotografia. Assume a sua presidência Nelson Rockefeller,[1] intensificando-se os projetos com artistas latino-americanos e tornando-se o Moma um grande instrumento na Política da Boa Vizinhança, com destaque especial para o Brasil.

Em 1939, incentivado por Rockefeller, Alfred Barr Jr. apreciara os murais que Portinari executara no Pavilhão do Brasil na Feira Mundial de Nova York. Comprou uma tela sua para o acervo do museu, "Morro do Rio", incluindo-a na mostra "Art in our time", e convidou-o para apresentar uma exposição individual no ano seguinte. "Portinari of Brazil" estreou em 8 de outubro de 1940 com grande destaque na imprensa e na crítica, a primeira mostra individual de um artista latino-americano nas novas instalações do museu.[2] Paralelamente à mostra de pintura, o museu promoveu três noites de música erudita brasileira em suas dependências, com transmissão radiofônica para todo o território norte-americano e para o Brasil. A edição de 13 de outubro de 1940 do *New York Times* trouxe elogios para a série, coordenada pelo maestro Walter Burle Marx, com participação da soprano Elsie Houston e tendo como destaque o pianista Arthur Rubinstein executando peças de Villa-Lobos.

No final da mostra, é lançado o livro *Portinari, His Life and Art*, editado pela Chicago University Press. Portinari permaneceu nos EUA, onde realizou outras exposições e executou retratos de damas da alta sociedade nova-iorquina, dentre os quais aquele da mãe de Nelson Rockefeller e fundadora do Moma. Em janeiro de 1942 são inaugurados quatro grandes murais de sua autoria, alusivos à história latino-americana, na Biblioteca do Congresso, em Washington.

Em 1943, Barr Jr. organizou, ainda, a mostra "The Latin American Collection of the Museum of Modern Art". Nada que se comparasse, contudo, àquela que seria a mais importante mostra sobre o Brasil organizada pela instituição: "Brazil Builds: Architecture New and Old, 1652-1942".

Concebida para itinerar, em versão reduzida, após a apresentação nova-iorquina, ela constituía um amplo panorama da nova arquitetura brasileira.[3]

---

1. Nelson Rockefeller (1908-1979) esteve no comitê dirigente do Moma de 1932 a 1975, com uma breve interrupção de 1941 a 45. Ocupou a presidência da instituição nos períodos de 1939 a 1941 e 1946 a 1953. Em 1975, foi eleito diretor honorário vitalício.
2. O mexicano Diego Rivera havia feito uma individual em 1931.
3. Não existe registro nos arquivos do Moma do paradeiro da mostra completa que, simplesmente, desapareceu no tempo. A versão itinerante foi vendida, em 1958, para a Universidade de Manitoba, no Canadá. Nos anos 70, por desinteresse e falta de espaço para armazená-la, a mostra foi destruída.

Diferia, portanto, de outras realizações da boa vizinhança: não era uma estilização kitsch de estereótipos sobre o Brasil, como os desenhos de Disney e os filmes de Carmen Miranda, nem um projeto irrealizado como o filme de Welles.

Philip Goodwin, co-autor do prédio do Moma, e G.E. Kidder-Smith, o melhor fotógrafo de arquitetura norte-americano, passaram, em 1942, seis meses no Brasil, visitando prédios, fotografando e entrevistando a nova geração de arquitetos. Fascinados pelo modernismo brasileiro, foram os primeiros a apontar o singular elo entre formas revolucionárias e a descoberta e preservação de prédios históricos.[4]

Goodwin e Kidder-Smith chegaram ao Brasil com uma boa noção do que se passava no país. Tiveram, nesse sentido o grande auxílio de Bernard Rudofsky,[5] arquiteto austríaco que vivera no Brasil de 1938 a 1941, mantendo intensa atividade profissional em São Paulo. Rudofsky havia se mudado no ano anterior para Nova York, ao ganhar um concurso interamericano de design para jovens, promovido pelo Moma, em 1941, representando o Brasil, sob o nome de Bernardo Rudofsky. Além de ter um projeto seu incluído no livro – a casa de João Arnstein –, o arquiteto austríaco indicou-lhes prédios a serem fotografados e pessoas a contactar em São Paulo e no Rio de Janeiro, onde vivera seis meses, logo de sua chegada ao país, com a mulher Berta, em 1938.[6] No Brasil, os Rudofsky eram próximos de Stefan Zweig, dos maestros Walter Burle Marx, regente da Orquestra Filarmônica do Rio, e Eugen Szenkar, húngaro que viria a ser o primeiro regente da Orquestra Sinfônica Brasileira, de Ingeborg Ten Haeff – então sra. Lutero Vargas – e, no círculo arquitetônico, de Roberto Burle Marx, Affonso Reidy e Henrique Mindlin.

Na capital federal, Goodwin e Kidder-Smith tiveram o suporte do Serviço de Patrimônio, sendo recebidos por Rodrigo Melo Franco, que designou Lucio Costa e Oscar Niemeyer para acompanhá-los. Contrariamente ao que alguns historiadores geralmente supõem, o contato com Lucio Costa não foi nada caloroso. O urbanista de Brasília contava, entre divertido e sur-

---

4. Deve-se assinalar que, no que toca aos prédios antigos, embora se baseasse na lista de bens tombados pelo Sphan, Goodwin escolheu-os pela beleza, sobriedade e aspecto monumental, sem se procupar em estabelecer pontes estruturais com a produção atual, como era a postura inovadora estabelecida por Lucio Costa.

5. Autor de *Architecture Without Architects: a Short Introduction to Non-Pedigreed Architecture*, um livro seminal sobre arquitetura vernacular publicado pelo Moma em 1969, Rudofsky foi um importante curador independente, colaborador constante do Departamento de Arquitetura do Moma e editor da *Progressive Architecture*, havendo falecido em Nova York no ano de 1988.

6. Depoimentos de Berta Rudofsky e G.E. Kidder-Smith a Lauro Cavalcanti em 17 jun e 3 set 1996, respectivamente.

preso, que Goodwin lhe tratara como a um burocrata do ministério colocado a seu dispor. Pediu-lhe para marcar entrevistas, solicitou-lhe precisões sobre endereços, jamais lhe fazendo perguntas de fundo, parecendo ignorar que se tratava do mais importante ideólogo e um dos expoentes arquitetônicos do país. Não conteve sua surpresa ao ver, um ano depois, no livro publicado, obras suas e a relação entre vanguarda e tradição, pioneiramente por ele levantada, expressa no próprio título (conforme depoimento a Lauro Cavalcanti em 8 mai 1987). Já o fotógrafo Kidder-Smith cita Marcelo Roberto e Oscar Niemeyer como os brasileiros com os quais melhor se relacionou. Destaca, todavia, que tais entendimentos se davam no plano da empatia pessoal, uma vez que Philip Goodwin lhe instruíra no sentido de não comentar a seleção das obras com os profissionais brasileiros, de modo a evitar pressões e expectativas. Frisa, ainda, que foi fotografado um número maior de projetos do que os que foram efetivamente aproveitados.

O entusiasmo de Goodwin pela produção brasileira moderna foi grande, apontando-a como um possível modelo a ser seguido na reconstrução que forçosamente viria no pós-guerra:

> Outras cidades capitais do mundo estão muito aquém do Rio de Janeiro em arquitetura. Enquanto o estilo clássico impera em Washington; a arqueologia da Academia Real, em Londres; o classicismo nazista, em Munique; e o neo-imperial, em Moscou, o Brasil teve a coragem de sair do campo do fácil conservadorismo. A sua corajosa libertação do tradicionalismo eliminou a antiquada rotina do pensamento governamental e estabeleceu o princípio livre da construção criadora. As capitais do mundo que necessitarão ser reedificadas após a guerra não podem encontrar melhor modelo do que os moderníssimos edifícios da capital do Brasil. (Goodwin: 1943)

Dois aspectos da arquitetura brasileira fascinaram particularmente o curador de *Brazil Builds*: a liberdade formal desenvolvida na Pampulha e o controle natural da luz e do calor que parecia haver sido obtida pelos arquitetos brasileiros nos prédios da Associação Brasileira de Imprensa e no Ministério da Educação e Saúde. A sede do Ministério da Educação mereceu destaque como a primeira aplicação monumental de pano de vidro na fachada inteira. Provava a aplicabilidade do estilo moderno em escala monumental e em geografias diversas do clima temperado. O prédio da ABI, projeto de Milton e Marcelo Roberto, foi aquele mais publicado pelos periódicos especializados nos EUA, Canadá e Grã-Bretanha. Interessava-lhes a idéia de que os Irmãos Roberto haviam conseguido, através somente de elementos arquitetônicos, diminuir a temperatura ambiente em cerca de cinco graus centígrados. Ilustravam tais matérias detalhes, fotos e desenhos do *brise-soleil* vertical, dos esquemas de ventilação cruzada e do

“Brazil Builds”: uma das salas de exposição (no topo); convite para a abertura da mostra em Boston (acima, à esquerda) e capa do livro com imagens do evento (à direita).

anteparo do ar quente propiciado pela colocação de uma circulação paralela às fachadas atingidas diretamente pelo sol. Havia a esperança, infelizmente infundada, de que o projeto dos Roberto fosse um passo decisivo para, no futuro, dispensar meios mecânicos de refrigeração nos prédios modernos em climas quentes.

As fotos da mostra "Brazil Builds", examinadas hoje, nos dão a impressão de uma certa modéstia, sobretudo se comparadas ao esmerado livro que a acompanhou. Cerca de 50 projetos de 23 arquitetos eram apresentados em fotos preto-e-branco de tamanho acanhado, com poucos desenhos; nem todos os projetos foram aquinhoados com a feitura de maquetes.[7] Grande foi, contudo, o papel que ela desempenhou na trajetória do modernismo arquitetônico brasileiro.

No plano nacional, graças à repercussão do sucesso alcançado pela exposição em Nova York, "Brazil Builds" acelerou a vitória dos modernistas sobre os estilos concorrentes neocoloniais e acadêmicos que ainda tentavam se apresentar como opção possível para a arquitetura futura do país. Devemos lembrar que a mostra abriu antes da inauguração oficial da nova sede do Ministério da Educação e Saúde, que sofria, ainda, pesadas críticas e achincalhes na imprensa nacional.[8] Em país paradoxalmente chauvinista, mas permeável a opiniões que vêm de fora, foi enorme o efeito dos elogios que o prédio obteve, sendo saudado como "o prédio governamental mais bonito do hemisfério ocidental" (entrevista de Philip Goodwin ao *New York Sun* em 15 jan 1943); a opinião pública leiga, mesmo que ainda se chocasse com a fragilidade aparente e a estética despojada do estilo moderno, começa a desconfiar que, com tamanho êxito nos EUA, talvez ele tivesse algum valor.

Na esfera internacional, havia outro paradoxo: embora a arquitetura norte-americana fosse, ainda, bastante tradicional, o Departamento de Arquitetura do Moma[9] se firmara, mundialmente, como o principal fórum de debates e difusão de inovações arquitetônicas. Ecos da "Brazil Builds" e, principalmente, o seu catálogo-livro alcançaram os principais centros mundiais de construção. Críticos e arquitetos desviaram sua atenção para a sofisticada produção de um país cuja imagem esteve sempre associada ao folclore tropical. São inúmeros os depoimentos de profissionais que tiveram a

---

7. Exceção era o grande painel dedicado à foto da fachada com *brise-soleil* do Ministério da Educação e Saúde.
8. Ver a esse respeito, neste livro, a Parte I, "Ministérios: o Ministério".
9. Philip Johnson era o diretor do Departamento de Arquitetura, havendo organizado importantes atividades e exposições, como "The International Style: Architecture since 1922", realizada em 1932.

sua curiosidade despertada pelo Brasil através das páginas do *Brazil Builds*, distribuído, por indicação do OCIAA e com a ajuda do Departamento de Estado norte-americano, para os mais afastados rincões do planeta.[10] A partir dessa difusão, projetos brasileiros passaram a ocupar, com freqüência, as páginas de periódicos europeus, com destaque para o francês *Architecture Aujourd'hui*, o britânico *Architectural Review* e a *Domus*, na Itália. Em 1947, retornando à circulação após a guerra, é editado um número especial da *Architecture Aujourd'hui* sobre a arquitetura brasileira. Pesquisando tais publicações, pode-se constatar que os periódicos europeus publicaram praticamente os mesmos projetos constantes do livro *Brazil Builds* e de revistas especializadas norte-americanas. Infere-se daí o importante papel que essa iniciativa da operação da Política da Boa Vizinhança teve para a difusão mundial da arquitetura moderna brasileira.

10. Alvaro Siza, Claude Ferret, Paul Chemetov e Kenneth Frampton estão entre os inúmeros profissionais que já deram declarações nesse sentido. Em relação à difusão na África do Sul, ver o ensaio de Gus Geneke, "From Brazil to Pretoria: the second wave of modern movement", integrante do livro *Architecture of the Transvaal*, organizado por Roger Fisher e Schalk le Roux, publicado em 1996 pela University of Pretoria Press.

CAPÍTULO 12

O Pavilhão do Brasil na Feira de Nova York

O segundo projeto determinante para a impulsão da arquitetura moderna brasileira que envolve relação com os Estados Unidos foi o Pavilhão do Brasil na Feira Mundial de Nova York, em 1939-40. A Feira havia sido concebida por volta de 1935 como um modo de revitalizar os negócios da cidade, fortemente atingida pela crise econômica que se abatera sobre o país após a quebra de Wall Street, em 1929. Representantes das grandes empresas resolvem alavancá-la e, após longa discussão, escolhem a localidade de Flushing Meadows, no Queens, como o sítio de sua realização.

Com o advento da Segunda Guerra Mundial, o evento ganha outra conotação. Além do aspecto de inovações tecnológicas, expresso pelo tema "Construindo o Mundo de Amanhã", ela se torna o paradigma da democracia e do livre mercado, em contraste com o autoritarismo estatal na Europa à beira de graves conflitos. A Feira foi estruturada em três setores: uma área central ocupada pelas grandes empresas e corporações dos EUA, um segmento dedicado a pavilhões nacionais e um último aos estados da confederação norte-americana.

A área central correspondia, na prática, ao setor dos Estados Unidos, que se exibia através de suas potentes empresas. O mais visitado pavilhão da Feira foi aquele da General Motors, por conta da exibição do Futurama, uma exposição concebida por Norman Geddes[1] buscando mostrar como seria o mundo em 1960. Otimismo e prospecção dos avanços tecnológicos dominavam as cenas: megalópoles, auto-estradas com grandes viadutos, anéis rodoviários e veículos futuristas. Era a celebração do transporte individual e do automóvel, modelo que, para o bem e para o mal, efetivamente se implantou na grande maioria de cidades norte-americanas.

Vistas do Pavilhão do Brasil.

1. Norman Geddes foi um importante designer e cenógrafo.

O Trylon e o Perisfério eram os elementos arquitetônicos centrais e funcionaram como verdadeiros símbolos do evento. Projetados por Wallace Harrison e André Fouilloux, o Trylon era um imenso obelisco de 183 metros de altura que funcionava como um portal monumental visível a enorme distância e como antena de rádio e televisão.

O Perisfério era uma grande esfera com diâmetro de 54 metros, altura correspondente a um prédio de 18 pavimentos. Abrigava no seu interior aquela que foi a segunda mais visitada mostra da Feira: a *Democracity*, um gigantesco diorama que buscava mostrar o mundo em 2039. Concebida por Henry Dreyfuss, era uma imensa bacia embaixo de um domo iluminado de azul. Sentados em dois balcões móveis, situados em plano superior, os visitantes observavam uma "cidade-jardim do amanhã", como se estivessem a cerca de dois mil metros de altura. Um narrador descrevia a nova paisagem: uma comunidade de um milhão de habitantes, cuidadosamente planejada às margens de um rio, com as ruas irradiando a partir de uma torre central. A cidade era aberta, limpa e silenciosa, pois a energia vinha de recursos hídricos e as indústrias estavam dispersas em anéis da periferia. Quando a narração terminava, as luzes se apagavam e um filme projetado no domo mostrava cenas dessa corporificação da utopia de progresso e preservação da natureza.

O Trylon e o Perisfério eram conectados por uma rampa gigante, intitulada Helicline, com 285 metros de extensão e quase seis metros de largura, concebida a partir de desenho do arquiteto construtivo russo Jacob Tchernikhov. Além da função de ligar os dois elementos, ela propiciava verdadeiro passeio arquitetônico e visão panorâmica de toda a localidade.

Outra grande atração foi o prédio da Westinghouse, projetado por Skidmore & Owens. Continha uma cascata de 32 metros, e a sua principal atração era uma cápsula do tempo, contendo informações, microfilmes e objetos sobre o presente, uma antologia do modo de vida norte-americano que se pretendia fosse encontrada cinco mil anos depois.

Em 30 de abril de 1939, a televisão teve a sua estréia formal nos Estados Unidos no pavilhão da RCA Victor, que enviou sinais para a torre do Empire State; esta retransmitiu, com bons resultados, para pontos estratégicos do país, uma saudação do presidente Franklin D. Roosevelt.

De modo a garantir nos setores internacional e dos estados confederativos o mesmo clima de otimismo e futurismo, foi nomeado um comitê organizador com predomínio de defensores do modernismo, tendo como expoente o crítico Lewis Munford.[2] A proposta desse grupo foi no sentido

2. Lewis Munford, importante historiador do urbanismo e admirador da obra de Frank Lloyd Wright, vê a arquitetura através de uma argumentação regionalista, acreditando que ela deva favorecer a absorção da sociedade, da cultura e do ambiente do lugar.

da obrigatoriedade de as construções seguirem as mais avançadas técnicas, devendo ser banidos os estilos históricos e decorativos. A cena arquitetônica estava, entretanto, quase tão agitada quanto a política. Após forte reação negativa do Instituto Norte-Americano de Arquitetos, uma nova comissão, mais conservadora, foi nomeada, adotando uma postura pacificadora: os estilos históricos seriam aceitos nos prédios representando os estados norte-americanos, mas proibidos nos pavilhões estrangeiros.

A quase totalidade dos países europeus compareceu, inclusive a Itália, que edificou um pomposo pavilhão simétrico e vagamente futurista que, no cume do bloco vertical que centralizava a composição e continha uma queda-d'água na fachada, exibia uma grande estátua de um guerreiro romano.[3] A Alemanha, preparando-se para ações expansionistas e havendo banido os renovadores da Bauhaus, não participou do evento. Inglaterra e França compareceram com prédios pesados e monumentais. Davam a impressão de edifícios tradicionais despojados, à última hora, dos elementos decorativos, para parecerem mais atuais. O moderno passava ao largo...

As nações latino-americanas acorreram em massa, antecipando os ares da Política da Boa Vizinhança. Uma delas, a Venezuela, não podia ser mais explícita; encomendou aos arquitetos norte-americanos Louis Skidmore e Nathaniel Owings o projeto de uma ousada caixa de vidro que abrigava em seu interior o "Altar do Bom Vizinho", contendo a relíquia de um feixe de cabelo de George Washington que Lafayette havia recebido e ofertado a Simon Bolívar.

No Brasil, o governo teve de suspender o decreto de 1922, que determinava ser o neocolonial obrigatório em prédios realizados para representar o país no exterior. Naquele ano, o presidente Epitácio Pessoa declarara "que para comemorar os cem anos da independência política determinava a independência artística do país", fazendo com que o neocolonial, o estilo brasileiro por excelência, fosse utilizado sempre que o Brasil construísse no estrangeiro. Sob protestos dos neocoloniais, encabeçados por José Marianno, Vargas revoga o decreto e o Ministério da Agricultura promove um concurso apenas entre modernos para a escolha do projeto a ser construído em Flushing Meadows. Não foi pequena a vitória simbólica que a postura da Feira de Nova York propiciou aos modernos. Além de banida do pensamento oficial a crença de que o neocolonial era nacional em oposição ao moderno estrangeiro, abriram-se novas oportunidades para o estilo, uma vez quebrado o monopólio neocolonial no mercado estatal.

---

3. A Itália participa do evento apenas em seu primeiro ano, retirando-se em 1940, quando seus exércitos se encontravam totalmente engajados no combate aos aliados dos EUA.

O Ministério da Agricultura era o setor do governo encarregado da seleção dos arquitetos para construções oficiais no exterior. Tal fato se justificava, pois, à época, as exportações brasileiras se restringiam a bens primários, com enorme destaque para o café. Foi realizado um concurso entre os modernistas, saindo vitorioso Lucio Costa. Este, reconhecendo as virtudes do arrojado projeto de Oscar Niemeyer, classificado em segundo lugar, convida-o para trabalharem juntos.

Embarcam no transatlântico *Pan America*, com mulheres e filhas,[4] aportando na ilha de Manhattan, debaixo de forte nevasca, inabitual para aquela época do ano, em abril de 1938. As famílias Niemeyer e Costa habitam, durante um ano, o mesmo prédio no número 56 da rua 65 West, próximo ao Central Park e não muito distante do Rockefeller Center, onde Lucio e Oscar trabalham em sala do escritório de Wallace Harrison.

Em Flushing Meadows, o terreno destinado ao Brasil era de esquina, próximo à confluência de três ruas, e vizinho ao Pavilhão da França, já em construção quando os arquitetos brasileiros visitaram pela primeira vez o local. Tratava-se de um prédio grande e maciço, em estilo clássico despojado. Após vê-lo, Costa e Niemeyer tomaram várias decisões projetuais. Em primeiro lugar, decidiram locar o prédio na fronteira do terreno, o mais longe possível do pesado gaulês; isso significou, do lado leste, colá-lo à rua sinuosa que separava as representações nacionais do setor das grandes empresas; na face sul, recuaram ao máximo a construção, afastando-a da rua, de modo a criar uma perspectiva generosa de visão. Em segundo lugar, perceberam ser inútil e desprovido de sentido tentar harmonizar ou competir em escala com o edifício vizinho. Decidiram, portanto, erigir um prédio leve e radicalmente moderno. Um pavilhão que não procuraria parecer uma construção definitiva, no qual houvesse uma interpenetração e constante diálogo entre o interior e os espaços externos.

Projetaram-no em três andares, com estrutura mista de aço e concreto, a planta em forma de L e três pequenos blocos isolados no jardim, perto do lago, para abrigar exemplares de flora e fauna brasileira. Uma rampa, emergindo da fachada sudoeste, sinuosa e escultural, captava o olhar e o movimento do visitante na direção do prédio, guiando-o em passeio arquitetônico até atingir um jirau, coberto por marquise igualmente curva, de onde se podia olhar o interior do primeiro andar, o térreo e o lago exterior. Entrando, a pessoa tinha, à sua direita, o acesso ao auditório, e à esquerda, o salão de exposições que ocupava todo o maior lado do L. A lateralidade e dimensão

4. Julieta Costa e as filhas Maria Elisa e Helena; Anita Niemeyer e a filha única do casal, Anna Maria.

estreita do acesso à galeria aumentavam a sensação de amplitude quando se entrava naquele grande espaço, pontuado por duas fileiras de esbeltas colunas de metal, pela suave curvatura de sua parede cega e, acima, pelo perímetro ondulado do piso do mezanino. A fachada lateral oeste era cega, para se proteger do sol, enquanto o lado da sombra, oposto, abria-se para o jardim. No térreo, o restaurante era o único espaço fechado. O bar, a cafeteria e o balcão de informações estavam dispostos como "ilhas", integradas ao espaço pela cobertura e o alinhamento das colunas.

Niemeyer e Costa ecoaram no corpo principal a linha sinuosa do terreno, repetindo tal inflexão em vários elementos do projeto: rampa, marquises, coberturas e balcões, "concorrendo para dar ao conjunto uma feição original inconfundível e extremamente agradável", nas palavras de Lucio Costa.

Do primeiro andar, podia-se acessar o térreo usando a escada próxima à sala de exposições, orientada para o norte, ou a escada que descia diretamente do mezanino. Já a entrada no térreo conduzia a espaço limitado à direita pela parede curva do auditório e acima pela curva da laje do jirau.

A fachada sul, castigada pelo sol no hemisfério norte, tinha uma das mais belas composições do modernismo brasileiro combinando os seguintes elementos: colméia de tijolos vazados, o vazio do pórtico, as curvas do balcão superior ecoando a linha do auditório, um volume cilíndrico da caixa-d'água na cobertura acima dos cobogós e a fina moldura da laje que integrava todos os elementos.

A arte brasileira estava representada pela réplica da escultura "Moça reclinada", de Celso Antônio, e por três grandes painéis de Cândido Portinari: "Jangadas do Nordeste", "Cena gaúcha" e "São João".

De modo a se proteger da enorme pressão que sofriam por parte dos ministérios, desejosos de exibir no prédio inúmeros produtos, além de tediosos e prolixos relatos de suas realizações, Costa e Niemeyer convencem o comissário-geral do Pavilhão, Armando Vidal, a contratar Paul Lester Wiener para conceber a arrumação interna das exposições. Além de excelente arquiteto, Wiener era estrangeiro e casado com a filha do secretário de Finanças de Roosevelt,[5] o que lhe dava autoridade e lhe

5. Pouco depois Wiener se divorcia e estabelece um romance com Ingeborg Ten Haeff, mulher de Lutero Vargas, a quem finalmente esposará em 1948. O romance dos dois provoca ressentimento no filho do presidente, que encoraja investigações do FBI a respeito de sua mulher, sob a qual recaíam suspeitas de simpatia nazista. Uma carta indignada é endereçada por Nelson Rockefeller a J. Edgard Hoover, protestando a respeito de a nora de um chefe de Estado de uma nação amiga estar sendo investigada. O chefe do FBI responde-lhe que as diligências serão suspensas, pois, além do mais, em seis meses de busca, o único resultado eram os incontáveis registros de encontros furtivos de Ingeborg e Paul no Waldorf, Plaza, Pierre e outros hotéis *chics* de Manhattan (informação colhida em 1996 na correspondência confidencial entre Nelson Rockefeller e J. Edgard Hoover).

A fachada lateral acompanhava a curva da rua, reforçando a sinuosidade como uma das marcas da linguagem arquitetônica brasileira.

Mapa comparando as áreas do Brasil e dos EUA

Na entrada do Pavilhão, balcão para servir cafezinho.

Salão nobre, vendo-se ao fundo pinturas de Cândido Portinari.

Imagens do interior do Pavilhão: o bar (acima) e o salão de dança (embaixo).

Saída para o lago no Pavilhão do Brasil na Feira de Nova York.

Exposição dos produtos brasileiros, com destaque para o óleo de babaçu.

Vista do lago próximo ao Pavilhão.

No interior do Pavilhão, o movimento do mezanino.

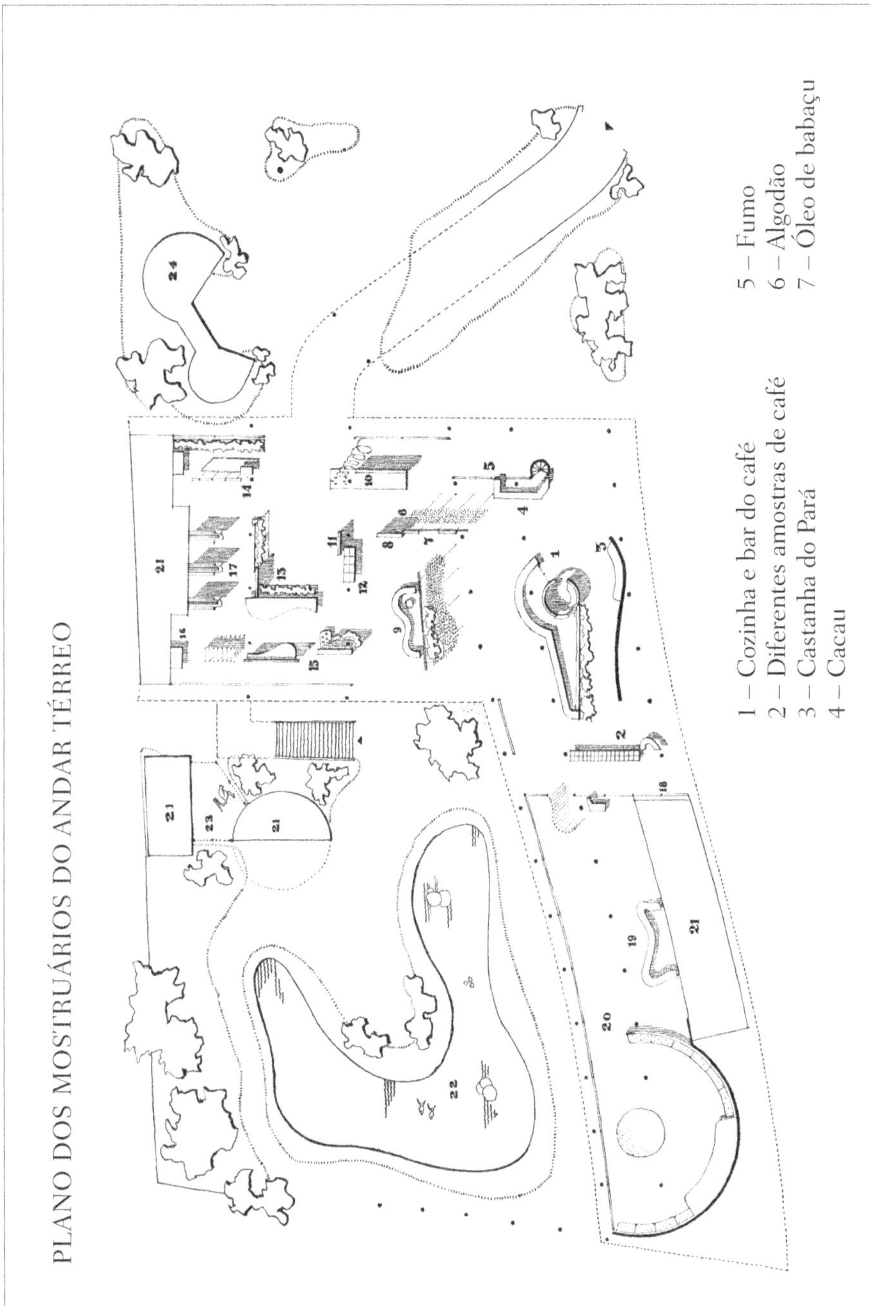

Distribuição dos estandes de produtos brasileiros no Pavilhão (adaptado do catálogo original do evento).

permitia escapar das pressões, em sua ida ao Brasil, a fim de selecionar peças para a exposição.

Wiener organizou a mostra de vários tipos de matérias-primas: grãos de café, erva-mate, fibras têxteis, formas geométricas feitas das mais variadas madeiras maciças brasileiras, borracha, cânhamo, objetos indígenas e enlatados de produtos típicos, como palmito, soja, castanha-do-pará e de caju.

Fotos de Marcel Gautherot exibiam Ouro Preto, obras de Aleijadinho, o cosmopolita prédio da Associação Brasileira de Imprensa e as obras da sede do Ministério da Educação e Saúde. Uma vitrine exibia livros de Machado de Assis, Gilberto Freyre, Manuel Bandeira, do historiador Rocha Pombo e o tomo *Nova política do Brasil*, de Getúlio Vargas. O presidente era também celebrado em busto esculpido por Hildegardo Leão Veloso.

A exposição foi habilmente disposta por Wiener, de modo a desrespeitar o alinhamento da projeção do mezanino. Era, assim, acentuada a percepção dos vários planos do rico e múltiplo espaço interior. Em balcões distintos, podia-se provar o cafezinho e o mate, apresentado como o chá brasileiro. Um bar servia doses generosas de cachaça com limão, a caipirinha.

O lugar mais animado era o restaurante, cujo palco abrigava, todas as tardes, um espetáculo de música brasileira popular e erudita. Resolvendo impasse entre Carmen Miranda e seu empresário norte-americano, no que tocava a levar para os EUA três músicos do seu conjunto de acompanhamento, o governo brasileiro pagou-lhes as passagens. Em contrapartida, o Bando da Lua foi incluído no programa de animação musical do Pavilhão durante o ano de 1939.

Concebido ao longo de um ano e construído em apenas cinco meses,[6] o Pavilhão do Brasil, apesar de usar o vocabulário básico de Le Corbusier, antecipou futuras tendências, com a liberdade de sua rampa, flexibilidade de volumes, proteção da insolação com elementos fixos, uso da curva como elemento expressivo e indistinção de espaço interno e externo. Começou nesse projeto o estabelecimento de uma linguagem brasileira própria, independente e autônoma da matriz européia.

Nessa obra dos futuros criadores de Brasília, os espaços internos e externos se sucediam, se interpenetravam e rivalizavam em interesse arquitetônico. Múltiplas possibilidades de volumes, texturas, espaços e perspectivas poderiam resultar em um todo caótico, o que não ocorreu. O prédio funcionava como um organismo coeso que preservava a função de todas as suas partes. A sinuosidade de linhas deixou de cumprir função acessória em detalhes isola-

---

6. A pedra fundamental foi lançada em 16 de abril de 1939 e a inauguração se deu em 7 de setembro do mesmo ano.

dos, determinando a forma dos elementos principais da composição arquitetônica, como as empenas e lajes de piso e cobertura do prédio.

Os arquitetos cariocas forneceram uma leitura alternativa ao vocabulário corbusiano inicial, assim como demonstraram a relatividade de certas divisões clássicas entre funcionalismo, formalismo, organicismo e racionalidade.

Da mesma forma que os pavilhões da Finlândia e da Suécia, o prédio de Costa e Niemeyer entusiasmou os críticos. Segundo Giedion: "É de importância extrema que a nossa civilização não mais se desenvolva a partir de um único centro e que obras criativas emanem de países até então provincianos, como a Finlândia e o Brasil." (in Mindlin: 1999) De acordo com Henry Russel-Hitchcock Jr. (1955), assistia-se à "criação de um novo idioma nacional dentro da linguagem internacional de arquitetura moderna".

Em 1939, ano da inauguração do Pavilhão no Queens, a construção, no Rio de Janeiro, do prédio do Ministério da Educação e Saúde (1937-43) mal estava começando, e o único exemplar concluído, em grande escala, do nosso modernismo era a sede da ABI (1936-38). A demonstração da possibilidade de passos diferentes daqueles de Le Corbusier e do funcionalismo europeu no projeto de Lucio Costa e Oscar Niemeyer teve uma importância crucial no desenvolvimento de uma linguagem singular do modernismo brasileiro. Se a consultoria de Le Corbusier no arranha-céu carioca foi, em 1936, uma espécie de graduação moderna informal para Niemeyer e Costa, a permanência de um ano em Manhattan desempenhou o papel de uma pós-graduação. Entraram em contato com várias tendências, linguagens e tecnologias do modernismo internacional, passando a possuir uma visão muito mais ampla e inclusiva do campo internacional da arquitetura, estabelecendo trocas e contatos com inúmeros arquitetos – dentre os quais podemos destacar Alvar Aalto, Sven Markelius e Wallace Harrison. Não à toa, Lucio Costa dá o subtítulo de "Colaboração e lançamento mundial de Oscar Niemeyer" ao capítulo que dedica ao Pavilhão em seu livro (ver Costa: 1995). De volta ao Brasil, Niemeyer projeta o Grande Hotel de Ouro Preto (1940), passa a desempenhar papel proeminente na equipe que termina o Ministério e, sobretudo, está pronto para desenvolver uma linguagem própria no conjunto da Pampulha (1942-43).

CAPÍTULO 13

A Construção da Sede da ONU

Em 1947, a participação proeminente de Oscar Niemeyer no grupo de trabalho internacional para a construção do edifício-sede das Organizações das Nações Unidas na ilha de Manhattan firmou, definitivamente, o arquiteto brasileiro no que se convencionou chamar de *star-system* da arquitetura mundial.

Finda a guerra, representantes de 51 nações, reunidos em São Francisco, Califórnia, assinam, em junho de 1945, um documento para a criação de uma organização mundial – sucedânea da malograda Liga das Nações, sediada em Genebra – de modo a garantir a paz internacional e zelar pela economia e os aspectos sociais e humanitários do planeta.

Outra decisão, tomada em 1946, determinava que a nova sede fosse erigida em território norte-americano. Foi o primeiro reconhecimento simbólico do novo papel que os EUA assumiriam no mundo do pós-guerra. Com a Europa devastada, de modo pragmático, buscava-se trocar o centro de decisões mundiais da neutralidade ineficaz suíça para a emergente potência norte-americana. Os primeiros sítios cogitados foram Lake Success e Flushing Meadows, ambos no estado de Nova York, sendo o último o local onde havia se desenrolado a Feira Mundial.

Percebendo o prestígio que acarretaria abrigar a sede das Nações Unidas, vários oferecimentos de terrenos são feitos em São Francisco, Nova York, Boston e no estado de Connecticut. Decide-se estabelecer um grupo para fixar critérios e parâmetros para a escolha. Fazem parte dessa equipe os arquitetos Le Corbusier, representando a França, e Nikolai Bassov, indicado pela União Soviética. A primeira questão foi determinar se a sede deveria se situar no meio urbano ou em área rural. No segundo caso, especulava-se sobre a possibilidade de erigir não apenas o local de trabalho, mas, também,

Vista da sede da ONU a partir do East River.

uma pequena cidade que abrigasse serviços e moradias dos embaixadores dos países-membros. Os exemplos das recém-construídas capitais da Austrália e da Índia, Camberra e Nova Déli, eram freqüentemente citados.

Em dezembro de 1946, tudo parecia indicar a escolha entre as três "finalistas": uma área na Filadélfia, na californiana Marin County ou em Flushing Meadows. No início de 1947, os Rockefeller oferecem à organização milhares de acres de sua imensa propriedade em Pocantico, ao norte do estado de Nova York. Paralelamente, por sugestão de Wallace Harrison, membros do comitê, dentre os quais Le Corbusier, concentraram sua atenção em terreno de cerca de 18 acres à beira do East River. Embora pequeno se comparado às opções rurais, ele tinha a grande vantagem de se situar em pleno coração da ilha de Manhattan. A área, ocupada por armazéns abandonados, era de propriedade do empreendedor imobiliário William Zeckendorf, que ali pretendia edificar, com projeto do próprio Wallace Harrison, a Cidade X, uma cidade dentro da cidade, reunindo prédios de escritórios, teatros e um complexo residencial. Após a realização de estudos preliminares, que verificaram a exeqüibilidade de ali abrigar o programa requerido, o terreno é comprado por J.D. Rockefeller e doado à ONU. O magnata havia sido convencido, por seu filho Nelson e outros nova-iorquinos proeminentes, do enorme valor simbólico e econômico de a ilha de Manhattan abrigar o mais importante órgão internacional. Na visão deles, isso a auxiliaria a se tornar o centro do centro de decisões mundiais. Trygvie Lie, o primeiro secretário-geral da organização, anunciou em 14 de dezembro de 1946 a doação do terreno e a decisão de situar a sede no "cruzamento de nosso mundo ... no centro turbulento da vida do século XX" (apud Reed: 1995).

Assustava os organizadores para a construção da sede nova-iorquina a possibilidade de se repetirem os conflitos e mau resultado arquitetônico do concurso realizado em 1926-27 para a escolha do arquiteto da sede da Ligas das Nações. O projeto de Le Corbusier e Pierre Jeanneret havia sido escolhido em meio a um verdadeiro campo de batalhas entre modernos e acadêmicos. Conseguiram os últimos interferir no resultado final, e um novo projeto, com pretensões funcionais e vetusta aparência neoclássica, concebido por obscura equipe de arquitetos,[1] foi edificado, buscando uma solução conciliadora entre as duas principais correntes.

Duas medidas acauteladoras são decididas: fazer no Moma a exposição "A home for UNO – Must We Repeat the Geneva Fiasco?" e não realizar um concurso para a escolha do projeto à beira do East River. Wallace Harrison

1. Broggi, Nénot, Flégenheimer, Léfrevre e Vagot (apud Reed, op.cit.).

foi nomeado para dirigir um grupo de arquitetos que se reuniriam para, juntos, elaborar a sede definitiva. O fato de ser norte-americano, íntimo dos Rockefeller, experiente em coordenar tarefas institucionais como o departamento cultural do OCIAA e a arquitetura da Feira Mundial de 1939, além de já haver projetado para o terreno entre as ruas 42 e 48 East, faziam de Harrison alguém talhado para a tarefa. Dez outros arquitetos foram convocados: Le Corbusier (França), Sven Markelius (Suécia), Howard Robertson (Reino Unido), Liang Ssu-ch'heng (China), Oscar Niemeyer (Brasil), Gustave Brunfaut (Bélgica), Gyle Souilleux (Austrália), Nikolai Bassov (União Soviética), Ernest Cormier (Canadá) e Julio Vilamajo (Uruguai).

Le Corbusier estava convicto de que Nova York seria o palco da reparação da injustiça que havia sofrido, 20 anos antes, por ocasião do concurso para a Liga das Nações. Sua atitude era a de alguém que acreditava estarem os outros arquitetos participando como seus auxiliares na definição de seu projeto definitivo.[2] Entre a sua primeira viagem a Nova York, em 1935, quando declarara serem os arranha-céus nova-iorquinos pequenos e os americanos demasiadamente tímidos,[3] a obra construída de Le Corbusier havia crescido, assim como seu prestígio junto às autoridades francesas que, nos tempos de pós-guerra, lhe encomendaram várias unidades de habitação[4] e lhe indicaram para representar oficialmente o país no grupo que projetaria a ONU.

Talvez o criador do Modulor estivesse certo quanto aos Estados Unidos serem o país dos tímidos. Equivocara-se, contudo, a respeito de um deles, Wallace Harrison. Abrindo os trabalhos em fevereiro de 1947, Harrison fixou o prazo de cinco meses, fez algumas recomendações gerais para a implantação do conjunto e deixou claro que os dez profissionais ali estavam em pé de igualdade, devendo apresentar, em uma primeira fase, propostas individuais.[5]

As recomendações gerais eram no sentido de individualizar o conjunto da trama urbana da cidade, adotar um partido vertical com uma ou duas torres, cuidar para que estas não projetassem demasiada sombra e não vedar totalmente a visão do East River. O britânico Howard Robertson[6] apresentou uma proposta de colunatas em todo o perímetro do terreno, logo descartada

2. Depoimento de Max Abramovitz a Lauro Cavalcanti em 3 out 1996.
3. Ver o livro que relata essa viagem à América do Norte, *Quand les cathedrales étaient blanches: voyage au pays des timides*, de 1937.
4. A primeira delas, localizada em Marselha, teve sua construção iniciada em 1945 e inauguração em 1952.
5. Para descrição detalhada dos encontros, ver *A Workshop for Peace: Designing the United Nation Headquarters*, de George Dudley.
6. Robertson havia sido o autor do tradicional e desinteressante Pavilhão da Grã-Bretanha na Feira de Nova York de 1939.

por ser muito tradicional, lembrando a entrada de instituições universitárias. Os esquemas de três arquitetos atraíram, especialmente, a atenção do grupo: Sven Markelius,[7] Le Corbusier e, principalmente, Oscar Niemeyer.

O arquiteto sueco propôs a execução de um parque na beira do rio dos lados de Manhattan e da Roosevelt Island, previu o alargamento das ruas nos quarteirões vizinhos, de modo a fornecer uma perspectiva monumental da torre de escritórios, colocada no centro do terreno e orientada no sentido oeste-leste. Além das evidentes dificuldades implicadas nas inúmeras desapropriações necessárias para criar a avenida que formaria um eixo monumental conduzindo à torre, a orientação da lâmina vertical provocaria permanente sombreamento do lote. A proposta de Markelius foi, assim, descartada.

No plano de Le Corbusier, a torre do Secretariado foi localizada na parte sul do terreno. A Assembléia-Geral, em forma de cunha, se projeta de uma grande plataforma baixa que abriga o Prédio das Conferências – contendo salas de conselhos, pequenos anfiteatros, escritórios e outras dependências – e se prolonga no terreno, dominando a composição. Duas torres menores, iguais e separadas entre si, abrigariam delegações na face norte. Dois problemas pareciam evidentes nessa disposição: a ocupação maciça do solo e a operacionalidade dificultada pelo gigantismo do bloco mais baixo.

Oscar Niemeyer situou a torre do Secretariado no centro do eixo norte-sul do terreno, colada na fronteira leste, projetando em balanço sobre as águas do rio uma lâmina horizontal esbelta para abrigar parte das funções do Prédio das Conferências. Passagem coberta conduzia ao auditório da Assembléia-Geral, cuja forma se destacava, isolada, na parte sul do terreno. No extremo norte, uma única edificação abrigava as instalações da delegação. O plano do brasileiro, além de mais elegante, definia melhor as diferentes funções dos elementos do conjunto. Sem falar na grande praça aberta que sua implantação permitia criar.

No relato de Max Abramovitz, "o projeto a todos entusiasmara e rumava para ser indicado por aclamação na reunião final". Niemeyer foi, entretanto, surpreendido pela visita de Le Corbusier a seu quarto de hotel na véspera da apresentação final. O autor de Chandigarh[8] propunha-lhe juntar as duas propostas de modo a reeditarem a cooperação do ministério brasileiro e, desse modo, não sofrer a humilhação de, no ápice de sua carreira, experimentar uma nova rejeição. Niemeyer, emocionado e grato pelo papel que Le

---

7. Autor do Pavilhão da Suécia, considerado um dos mais interessantes da Feira Mundial de Nova York.
8. Primeira cidade planejada da Índia, a capital do estado de Punjab foi projetada por Le Corbusier nos anos 50.

Corbusier desempenhara no início de sua carreira, aquiesceu e combinaram trabalhar uma nova proposta que fundiria os dois projetos (conforme depoimento a Lauro Cavalcanti em 4 mai 1998).

Percebendo a situação, Wallace Harrison, na presença de seu sócio e colaborador, Max Abramovitz, chama o arquiteto brasileiro para uma conversa particular. Comunica-lhe a tendência de indicar o seu projeto original e o fato de que ele fora convidado por seu valor individual, e não para ser assistente de Le Corbusier. Convida-lhe, ainda, para acompanhar o desenvolvimento da construção do projeto em Nova York. Oscar mantém-se firme na parceria com o pioneiro moderno e declina o convite para uma permanência prolongada no país.[9]

As reuniões finais do grupo de trabalho foram dedicadas a consolidar a fusão das versões de Corbusier e Niemeyer. Na proposta final, o Prédio das Conferências é alinhado ao longo do rio – como no projeto de Niemeyer – e a torre do Secretariado, de 30 pavimentos, situa-se no limite sul, como no plano de Le Corbusier. Uma passagem liga a torre principal ao Prédio das Conferências, que abriga o auditório da Assembléia-Geral. Não é, contudo, obtida uma praça monumental, pois a grande extensão desse bloco divide o terreno em dois, inviabilizando a praça prevista por Niemeyer.[10]

Na construção, foram adicionadas uma desastrosa cúpula dourada no prédio da Assembléia e a elegante fachada foi cortada em três elementos pelo tratamento diverso dado a dois andares destinados a abrigar as máquinas de refrigeração. A sede das Nações Unidas permanece, contudo, um belo conjunto, testemunha da cooperação, das disputas e da boa vontade de elementos exponenciais da arquitetura do século XX.

A participação de Oscar Niemeyer nesse processo lançou-o na elite da arquitetura mundial. Diferentemente de outros países da América do Sul que se aproximavam da arquitetura impessoal e anônima preconizada por Walter Gropius, o Brasil era, nas palavras de Henry Russel-Hitchcock Jr. (1955), "o centro de atividade do mais intenso e singular talento em arquitetura: Oscar Niemeyer". Faltou ao historiador completar que esse talento possuía interlocutores a sua altura no país. De sua liderança e do diálogo, nem sempre harmonioso, com seus pares, surgiram linguagens no Brasil que tinham como ponto comum a não submissão às restrições ortodoxas do racional-funcionalismo.

---

9. Os depoimentos de Max Abramovitz e Oscar Niemeyer são coincidentes nos fatos relatados. Conta ainda o arquiteto brasileiro que, anos depois, Le Corbusier, em pausa na conversa entre os dois, fita-lhe diretamente nos olhos, dizendo-lhe: "Oscar, você é generoso."

10. Em conversas reservadas, entre um discreto sorriso, Niemeyer comenta que, embora não se arrependa da generosidade, a sua implantação era muito melhor...

Área reservada para a construção da sede das Organizações das Nações Unidas.

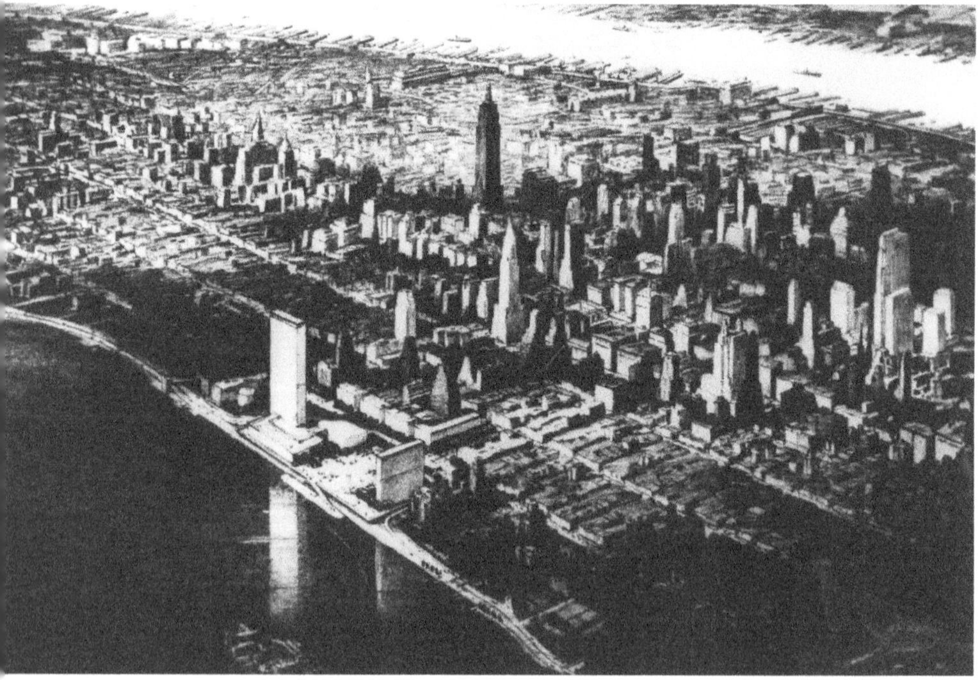

Desenho com o futuro prédio da ONU.

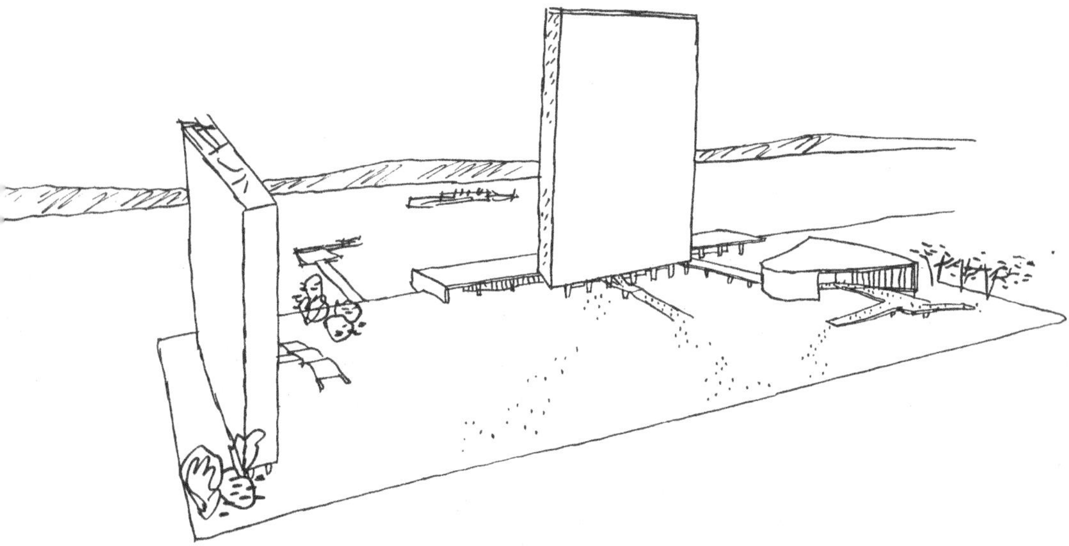

Croqui de Oscar Niemeyer com sua proposta para a sede da ONU.

A partir dos anos 50, o modernismo que o Brasil havia importado da Europa 30 anos antes tornou-se um estilo mais plural e, com a ajuda da difusão que obteve nos EUA, viajou o oceano Atlântico na direção inversa. Recuperando-se do impacto da guerra e entrando na fase de reconstrução das cidades mais atingidas, a segunda geração modernista passou a ter o Brasil, em geral, e Oscar Niemeyer, em particular, como uma de suas mais fortes referências.

Impressiona a desimportância que a maioria da historiografia arquitetônica nacional atribuía ao projeto do Pavilhão do Brasil, aos contatos profissionais estabelecidos por Costa e Niemeyer durante a permanência de um ano em Nova York, ao papel da Política da Boa Vizinhança na difusão mundial da arquitetura brasileira e às escaramuças do grupo que se reuniu para projetar a sede da ONU. É compreensível tal fato na geração dos pioneiros do movimento, formados sob forte influência européia, particularmente da cultura francesa. Menos compreensível é a ausência desse ângulo na análise de historiadores contemporâneos. O desinteresse da maioria dos pesquisadores por nossa realidade cultural, a rudeza pragmática da política norte-americana em relação ao Brasil e o papel menor que ocupamos nas suas relações internacionais desde os anos 70 talvez expliquem essa má vontade no presente. Fato é, contudo, que a história da arquitetura modernista nos anos 40 e 50 não pode mais ser escrita somente em termos de influência européia nas Américas. Uma abordagem considerando um diálogo triangular pode expandir e lançar nova luz na compreensão do fluxo de formas e idéias nas arquiteturas modernas do Brasil, Estados Unidos e Europa.

[PARTE V]

PAMPULHA E BRASÍLIA:

A LIBERDADE DA ESTRUTURA NA INVENÇÃO DE UMA LINGUAGEM SINGULAR

“Com a obra da Pampulha o vocabulário plástico de minha arquitetura – num jogo inesperado de retas e curvas – começou a se definir.”

OSCAR NIEMEYER
Minha arquitetura 1937-2004

“Brasília merece respeito. É preciso acabar com esse jogo do ‘gosto-não-gosto’, e com essa balda intelectual de fazer frases pejorativas. O que é preciso agora é compreendê-la. Trata-se de uma cidade não concluída e, como tal, necessitada de muita coisa. O que espanta não é o que lhe falta, mas o que já tem.”

LUCIO COSTA
O Estado de S. Paulo,
13 jan 1988 (In Costa, 1995)

CAPÍTULO 14

O Conjunto da Pampulha

Tão importante quanto a conquista do mercado estatal na era Vargas foi a adoção do modernismo, na figura de Oscar Niemeyer, por Juscelino Kubitschek, que, dos anos 40 aos 60, exerceu, sucessivamente, os cargos de prefeito de Belo Horizonte, governador de Minas Gerais e presidente do Brasil. Poucos políticos superpuseram, com tanta intensidade, os objetivos de renovação política e arquitetônica: a construção de uma nova estética simbolizaria a autonomia técnica brasileira, a sua gestão e um caminho exemplar para o desenvolvimento posterior do país.

Em termos arquitetônicos, tal trajetória política permitiu o aparecimento de obras seminais como Pampulha e Brasília.[1] Pampulha pode ser considerada como o marco inicial de um modernismo genuinamente brasileiro. O mais importante é que a construção dessa brasilidade não pagou nenhum tributo a reduções folclorizantes a respeito do país; local e universal, a nova linguagem foi criada a partir do uso coerente das tecnologias mais recentes e do uso irrestrito da imaginação criadora.

A história da arquitetura moderna brasileira provocou a quebra de duas sólidas tradições: uma interna ao próprio movimento e outra relativa à contribuição de países periféricos para a linguagem universal da arquitetura. A primeira ruptura se deu, como vimos em capítulo anterior, no prédio do Ministério da Educação e Saúde (1937-43), onde o moderno foi experimentado, pela primeira vez, em grande

As curvas da igreja da Pampulha inauguram uma nova linguagem no modernismo arquitetônico.

1. Juscelino Kubitschek convoca Oscar Niemeyer em 1940 para projetar cinco prédios que serão o embrião do bairro da Pampulha, destinado a expandir os limites da cidade de Belo Horizonte. Em meados dos anos 50, JK resolve construir uma nova capital, Brasília, de modo a dar importância política à região central do país, interiorizando o desenvolvimento que se concentrava apenas no litoral.

escala, em um palácio, provando a sua exeqüibilidade fora do clima temperado europeu e dos programas "menos nobres" de galpões, fábricas e estações de trem. A segunda tradição rompida foi a da própria história da arquitetura no Brasil. Até então, não havíamos contribuído, com marca original, ao curso da história das construções no mundo. No conjunto da Pampulha (1942-43), Oscar Niemeyer rompeu com o entendimento até então consensual do racionalismo arquitetônico e demonstrou novas possibilidades de prática e casamento entre arquitetura e estrutura.

Como prefeito de Belo Horizonte, nomeado pelo interventor Benedito Valadares, Juscelino foi influenciado pelo projeto de modernização da capital federal, empreendido pelo governo de Getúlio Vargas. Abriu avenidas, alargou outras já existentes, prolongou a avenida Afonso Pena, criou e pavimentou ruas, construiu escolas e hospitais, sem descuidar de garantir o abastecimento de água através da construção de barragens. Um plano do prefeito anterior, Otacílio Negrão de Lima, era o de expandir a cidade para a longínqua região da Pampulha. Tal idéia encontra em Juscelino Kubitschek o mais ardoroso entusiasmo e dedicação, apesar das inúmeras críticas daqueles que enxergavam no projeto uma absurda e irrealizável utopia.

Entusiasmado com o projeto do Grande Hotel de Ouro Preto, que seguira na condição de auxiliar do interventor Benedito Valadares, JK decide convidar Niemeyer para projetar um conjunto arquitetônico às margens do lago artificial da Pampulha, de modo a atrair para a vizinhança moradores requintados e investidores do setor particular. O Cassino, o Iate Clube e a igreja pretendiam estabelecer um alto padrão que caracterizasse a sofisticação da área. Em pequena ilha acessível por uma ponte, a Casa do Baile assinalava uma faceta mais popular do conjunto, estando destinada ao lazer da população.

Juscelino tinha tanta pressa para iniciar a obra que Niemeyer passou a noite em claro no Hotel Central, desenhando os planos para apresentação na manhã seguinte.[2] O prefeito maravilhou-se com os desenhos e agilizou, para daí a 15 dias, o início das obras, que durariam apenas nove meses.

A implantação do conjunto à volta do espelho d'água é assim descrita por Carlos Eduardo Comas (2000):

> Os três edifícios laicos se recortam em pares, um contra o outro, como se fossem os vértices de uma esplanada líquida. Desde os pilotis do Yatch, a angulosi-

2. Versão presente em vários relatos do arquiteto, inclusive em seu depoimento ao autor em 5 set 1998.

dade do edifício se superpõe parcial e lateralmente ao tambor do salão de baile do Cassino; desde o pátio de entrada da Casa do Baile, a sinuosidade de sua laje tem por pano de fundo o prisma do salão de jogos do Cassino. Pudorosa e corretamente a Capela se afasta da contigüidade profana, o único edifício não concebido com esqueleto independente de concreto.

A IGREJA DE SÃO FRANCISCO (1942-43)

A igreja de São Francisco assinalou o uso ilimitado das potencialidades plásticas e estruturais do concreto armado. Abóbadas autoportantes de diversos tamanhos pousam sobre uma empena de azulejos em uma combinação de síntese e ousadia. Alto e esbelto campanário de perfil trapezoidal se localiza a oeste, contrastando com as formas ondulantes da igreja. Os dois elementos são ligados por marquise inclinada que desce do campanário até a altura em que começa o *brise-soleil* na fachada em forma de parábola orientada para o noroeste.

A abóbada maior cobre a nave, sendo a sua cobertura levemente inclinada interrompida na projeção do início do altar, ensejando uma clarabóia para iluminar o local de celebrações. Arco mais alto e de igual largura envolve o altar, juntando-se a três outras abóbadas menores que cobrem a sacristia.

O batistério, situado à esquerda da entrada, está delimitado por baixos-relevos de Ceschiatti, representando o mito do Paraíso. Escada helicoidal à direita conduz ao coro. O enorme painel de São Francisco, pintado por Cândido Portinari, no fundo do altar, atrai o olhar de todos, homenageando o padroeiro do templo e se constituindo no indiscutível centro da composição interior.

A igreja de São Francisco possibilitou uma notável parceria entre arquitetura e artes plásticas, estando o trabalho pictórico indissoluvelmente ligado à arquitetura. Pinturas em mosaicos de Paulo Werneck revestem externamente a cobertura em ondas. Um mural de azulejos azuis e brancos cobre a empena que sustenta, na fachada sudeste, a cobertura de arcos – igualmente de autoria de Portinari – e é a única ponte entre vanguarda e tradição, aludindo aos azulejos que revestiam as antigas igrejas coloniais.

Nesse projeto, Niemeyer rompe com dois importantes pontos de sua formação anterior: o racionalismo do modernismo corbusiano e a permanente dialética com o passado, propugnada por Lucio Costa. Com a palavra, o arquiteto: "Temos, com a maleabilidade enorme dos novos materiais, um grande campo de experiências plásticas que não pode ser limitado. ... Respeitamos a lição do passado. Mas, somente isso. As velhas formas arquitetônicas perdem o sentido diante de novas possibilidades técnicas." (in Xavier: 2003)

Outro fator importante na igreja de São Francisco é a fusão completa entre estrutura e arquitetura e entre esta última e a arte. Uma vez a estrutura erguida, a igreja estava pronta. A arquitetura nasce da estrutura. A igreja não seria a mesma, tampouco, sem os painéis de São Francisco, ou sem os murais azuis e brancos a sustentar e polvilhar as curvas da cobertura.

O arrojo das formas livres da igreja de São Francisco provocou espanto nas autoridades locais e a recusa do arcebispo de Belo Horizonte a consagrá-la.[3] Ainda que fechada durante anos, as curvas harmoniosas e variadas da igreja da Pampulha foram, internacionalmente, ungidas à condição de símbolos da liberdade de criação dos arquitetos, um verdadeiro antídoto contra a mesmice que rondava o funcionalismo arquitetônico ortodoxo. A revolta na conservadora capital mineira foi tanta que se cogitou demoli-la. Para impedir tal barbárie, os modernos usaram seus poderes no Serviço de Patrimônio, inscrevendo-a na lista de bens tombados em dezembro de 1947, quatro anos, apenas, após a sua construção.

O CASSINO (1942)

Se coube à igreja o papel de estrela do conjunto, o prédio do Cassino foi aquele que mais entusiasmou críticos do quilate de Kenneth Frampton (1980):

> O gênio de Niemeyer atingiu o ápice quando, com trinta e cinco anos, realizou sua primeira obra-prima: o Cassino da Pampulha. Ali Niemeyer reinterpretou a noção corbusiana de "passeio arquitetônico" numa composição espacial de admirável equilíbrio e vivacidade. ... Um passeio que articula os espaços do prédio como a estrutura de um sofisticado jogo, tão elaborado como os jogos sociais e hábitos da sociedade ao qual ele se destina a servir.

Situado em promontório elevado, com vista privilegiada para a lagoa, o Cassino apresenta, concomitantemente, uma adesão aos princípios corbusianos e a procura de uma expressão mais livre e pessoal. A marquise, lançada em forma livre, sinaliza a entrada em uma fachada que, em travertino e

3. A igreja de São Francisco está inscrita, desde 1º dez 1947, no Livro do Tombo das Belas Artes, vol.I, n.312.

Vista frontal da igreja de São Francisco.

Vista geral do Cassino, atual Museu de Arte da Pampulha.

vidro, deixa entrever a paisagem através de um rico jogo de cheios, vazios e interpenetrações de elementos. O saguão, com altura dupla, recebe o visitante que, através de rampas cobertas de mármore, após cruzar colunas revestidas de alumínio, refletido nas paredes de espelhos rosados, atinge o mezanino. Antes de entrar nas salas de jogo, olhando-se o reflexo, é inevitável aceitar o convite arquitetônico e virar para apreciar, de cima, o espaço que acabou de ser percorrido: o térreo e o jardim exterior de Roberto Burle Marx.

Do primeiro andar, tem-se acesso ao volume circular, projetado sobre o andar inferior, que contém o bar, o restaurante e a pista de danças. A transição do volume cilíndrico para o prisma principal do prédio efetua-se, externamente, pela caixa de escada. O bloco menor, de planta retangular, sobre pilotis, destinava-se à parte "molhada" – cozinha e sanitários – da construção.

O jogo de transparências e opacidades, ortogonalidade e curvas, cheios e vazios, leveza e peso, imagens reais e refletidas fazem do Cassino um dos mais belos e complexos exemplares da arquitetura moderna. À direita de sua entrada, Niemeyer dispôs uma escultura naturalista de Zamoiski, fornecendo um interessante contraste com as formas abstratas do prédio. O paisagismo de Burle Marx, ao contrário, estabelece um diálogo formal ao "ecoar" as formas abstratas da construção.

Com a proibição do jogo em 1946, o prédio ficou fechado por 11 anos, sendo reaberto na função de Museu de Arte Moderna, não tão adequada para a sua arquitetura de sonhos e contrastes.

Iate Clube (1942) e Casa do Baile (1942)

Completavam o conjunto um clube e um espaço destinado a festas populares. O prédio do Iate, na face oposta, em frente ao Cassino, era composto por dois blocos de planta retangular, com igual largura e comprimento e alturas distintas. Destacava-se em sua composição o enorme telhado-borboleta e um terraço, suspenso e descoberto, que se projetava na direção da água. Entre o terraço e o restaurante foi previsto um pequeno espelho d'água, que funciona, para quem está no restaurante, como eco visual da água da lagoa. Um painel de Roberto Burle Marx ornamenta uma de suas maiores paredes. Apesar de ser a edificação menos referida quando se pensa no conjunto da Pampulha, o Iate mereceu comentários entusiasmados de Henrique Mindlin (1999) como aquela na qual a pesquisa de novas formas "alcança seu mais alto grau de integração entre todos os elementos do projeto".

Visão noturna do Cassino com a escultura de August Zamoiski à direita.

As curvas da marquise da Casa de Baile, em desenho de Oscar Niemeyer.

Embora poupado de intolerâncias religiosas ou proibições governamentais – como foi o caso da igreja e do Cassino –, o prédio do Iate teve seu uso muito prejudicado por outro inimigo: o caramujo vetor da esquistossomose. As águas da Pampulha foram infestadas pelos moluscos, tornando-se um dos principais locais de desenvolvimento da doença. Com isso, os sócios do Iate Clube evitaram-no por muito tempo.

A Casa do Baile, primeiro elemento do conjunto a ficar pronto, baniu de suas formas a linha reta. Um bloco cilíndrico abrigava o palco da orquestra, salão de danças, cozinha, bar e sanitários. Na fachada circular, alternavam-se vidro no lado da sombra e azulejos e tijolos vazados nas faces castigadas pelo sol. Uma serpenteante marquise propiciava proteção do espaço de danças ou, simplesmente, a observação da paisagem ao abrigo do sol ou da chuva. A marquise mineira foi o embrião do grande espaço coberto projetado no Ibirapuera uma década depois. Assinala uma área de transição entre os espaços internos e externos, repetindo curvas da paisagem e ensejando, ao mesmo tempo, um passeio pela arquitetura e natureza.

Pampulha assinalou um momento decisivo para a arquitetura brasileira, pois a repercussão internacional do conjunto definiu Oscar Niemeyer como o grande nome da geração. Se o Ministério da Educação e Saúde havia mostrado que o Brasil podia acompanhar o que se produzia de melhor na época, Pampulha evidenciava que pelo menos um arquiteto brasileiro era capaz de ir além: influenciar a arquitetura moderna. A divulgação, no mesmo período, das obras de um dos mais originais paisagistas do século, Roberto Burle Marx, fortaleceu, ainda mais, a sensação de que existia uma Escola Brasileira.

As maiores restrições à forma brasileira de interpretar a linguagem moderna, identificada principalmente na obra de Oscar Niemeyer, provinham dos arquitetos e críticos defensores de uma arquitetura essencialmente funcionalista como, dentre outros, Walter Gropius, Mies van der Rohe, Bruno Zevi e Max Bill. Alegavam, igualmente, faltar um engajamento político-social naquela arquitetura mais livre.

A respeito dessas críticas e dos limites do funcionalismo ortodoxo, é interessante transcrever a lúcida intervenção de Vilanova Artigas (1986) reivindicando o estatuto de arte para a criação arquitetônica:

> O funcionalismo, por outro lado, não fugiu à tendência do mecanicismo que trazia em seu bojo, e que, infelizmente, ainda prevalece, de reduzir a atividade global da consciência humana ao pensamento científico, racional, em prejuízo da forma sensível de conhecimento, peculiar à arte. ... A arquitetura reivindica

> para si uma liberdade sem limites no que tange ao uso formal, ou melhor, uma liberdade que só respeite a sua lógica interna enquanto arte.

Termina fazendo a defesa explícita da obra de Oscar Niemeyer: "Como arma de transformação do mundo, a arquitetura tem os seus métodos próprios que não se confundem com os da ciência ou da própria tecnologia. Restaurá-los é a proposta contida nas atitudes de Le Corbusier e Oscar Niemeyer."

Após o conjunto da Pampulha, não havia dúvida de que "uma nova geração ... liderada por Lucio Costa e Oscar Niemeyer ... estendeu as fronteiras da expressão da arquitetura do século XX muito além do que a maioria dos arquitetos europeus na década de 1940" (Sharp: 1972).

CAPÍTULO 15

Brasília, a Construção de um Exemplo

Brasília, cidade projetada nos moldes urbanísticos do Congresso Internacional de Arquitetura Moderna (Ciam), foi inaugurada em 1960 como nova capital do Brasil. As capitais normalmente são mudadas pelo reconhecimento político da pujança econômica de uma determinada região. Nesse caso esperava-se desenvolver o interior do país dando-lhe importância política. Retirar a capital do já desenvolvido litoral constava da Constituição brasileira desde o século XIX. Até Juscelino Kubitschek, entretanto, ninguém se lembrara ou levara a sério tal disposição.

Ao decidir construir a nova sede do governo no centro do Brasil, Juscelino Kubitschek chamou Oscar Niemeyer para fazer os prédios e o projeto urbanístico. Reeditava a bem-sucedida parceria da Pampulha, efetuada nos anos 40, quando era prefeito de Belo Horizonte. Mais uma vez, buscava superpor os objetivos de renovação política e arquitetônica, agregando significados simbólicos à construção de uma nova estética.

Projetar uma nova capital para o futuro em região semiárida, sem nenhum constrangimento cultural de estruturas já existentes, era a tarefa dos sonhos de qualquer modernista. Niemeyer preferiu, entretanto, encarregar-se somente da parte arquitetônica, sugerindo o estabelecimento de um concurso para a escolha do plano urbanístico.

Le Corbusier percebeu uma nova oportunidade de realizar um plano urbanístico em larga escala, sem ter de lidar com facções políticas guerreando, como em Chandigarh, ou enfrentar movimentos pela preservação da arquitetura pretérita, como ocorreu em Paris. Escreveu ao presidente brasileiro oferecendo-se para a tarefa, invocando a sua bem-sucedida parceria nos anos 30 com os arquitetos brasileiros no prédio do Ministério da Educação. Não obteve sequer

Vista aérea de Brasília, ainda com muitos terrenos vazios.

resposta: os tempos eram outros, e nem JK, nem Niemeyer desejavam uma estrela estrangeira nesse empreendimento que visava demonstrar a pujança de um Brasil moderno.

Quando já estava avançada a construção do palácio presidencial e se acirrava o debate político acerca da mudança da capital, com forte reação da oposição, que invocava os grandes gastos e o desperdício de energias em um país com outras urgentes prioridades, abriu-se, em 1957, o concurso para a escolha do plano para a nova capital.

Tratava-se de um concurso de idéias com um programa bastante vago. Com base no fato de que a capital visava fixar um exemplo para o desenvolvimento ulterior do país, o edital não exigia nenhum estudo geográfico ou sociológico prévio. A única recomendação dizia respeito à população de 500 mil habitantes e à indisponibilidade de uma zona próxima ao lago artificial tomada pelo palácio presidencial e um hotel que já estavam sendo construídos, ambos projetados por Niemeyer.

Juscelino Kubitscheck nomeou Israel Pinheiro, um político de sua inteira confiança, para presidir a Companhia Urbanizadora da Nova Capital do Brasil (Novacap), da qual Oscar Niemeyer foi feito diretor técnico. O edital do concurso era cuidadoso a ponto de desobrigar o Estado de construir o plano vencedor. O júri tinha três elementos da Novacap, dentre os quais Oscar Niemeyer, e dois técnicos estrangeiros convidados pelo arquiteto: William Holford, um dos responsáveis pelo plano regulador de Londres, e André Sive, conselheiro do Ministério da Reconstrução Francesa. Completavam a comissão julgadora um representante do Instituto de Arquitetos e outro da Associação de Engenheiros, os únicos não determinados diretamente pela Novacap.

Vinte e seis projetos concorreram, representando a elite da arquitetura moderna brasileira; a grande maioria seguia as funções de habitação, trabalho, lazer e circulação estipuladas pela Carta de Atenas (1933).

Além do projeto vencedor de Lucio Costa, dois outros se destacaram: o dos Irmãos Roberto e o de Rino Levi. Uma falta proposital de valorização dos edifícios administrativos caracterizava a proposta de Levi. O aspecto monumental estava na escala dos prédios residenciais, gigantescos blocos compostos por oito torres de 300 metros de altura, ligadas por passarelas e uma dupla rede de elevadores. Certamente, desagradou ao júri a pouca importância dada ao setor administrativo/estatal, além do paradoxo de adensar verticalmente a moradia em uma cidade na qual o mais longínquo dos problemas era a falta de espaço.

O plano dos Roberto continha um detalhado estudo do impacto econômico que a nova capital acarretaria e propunha uma descentralização da cidade: à exceção de uma praça reunindo os Três Poderes, todo o resto da administração, residências e serviços estavam distribuídos em sete unidades hexagonais previstas para 72 mil habitantes cada. O projeto enfatizava para todo o conjunto uma opção não-monumental, desprezando essa escala como uma sobrevivência do século XIX.

Os dois projetos frustravam o desejo governamental de espetacularização do Estado. A necessidade de monumentalização da arquitetura moderna vinha, aliás, sendo objeto das discussões do panorama modernista internacional do pós-guerra. Diversamente da afirmativa de Lewis Mumford, em 1938, de que "se é moderno não pode ser um monumento" (apud Ockman, op.cit.), vários arquitetos e críticos apontavam a necessidade de o modernismo produzir os seus monumentos; além disso, a revista inglesa *Architectural Review* publicou, em setembro de 1948, um número especial sobre monumentalidade com artigos de Henry Russel-Hitchcock Jr., Walter Gropius, Siegfried Giedion, Gregor Paulsson, William Holford e Lucio Costa – os dois últimos, respectivamente jurado e ganhador do concurso para o plano de Brasília.

Sert, Léger e Giedion, em 1943, haviam afirmado que, "através da monumentalidade, a arquitetura e o urbanismo poderiam adquirir a mesma liberdade criativa que havia sido alcançada nas últimas décadas pela pintura, escultura, música e poesia". Em 1944, Louis Kahn defendia que a arquitetura moderna poderia atingir um sentido de eternidade através de uma monumentalidade obtida com a qualidade da estrutura e dos materiais (apud Ockman: 1993).

O debate sobre a monumentalidade não era novo no país. No final dos anos 30, o movimento moderno se firmara, provando sua habilidade em criar monumentos na construção de grandes obras para o Estado Novo. O jeito moderno brasileiro de fazer monumentos conseguira conciliar economia e luxo, simplicidade e imponência. Mesmo em tipos de prédios nos quais teria sido menos esperada, como é o caso das moradias populares, a monumentalidade estava presente. No mais bem-sucedido desses projetos, o Pedregulho, a escala monumental foi justificada como a constituição de símbolo e prenúncio de como deveriam vir a habitar os mais pobres.

CAPÍTULO 16

Urbanismo, Arquitetura, Paisagismo e Arte

Para Lucio Costa, a monumentalidade seria prenunciadora de uma nova era, de maior equilíbrio, mais senso comum e lucidez. O seu plano para Brasília partia de um gesto simples e simbólico: o sinal da cruz feito pelos descobridores para assinalar a posse da terra e o começo de uma nova civilização. Partindo da cruz, arqueou um dos eixos, de modo a melhor adaptar-se à topografia, obtendo a feição final de seu plano que passa a se assemelhar a um enorme avião. No eixo principal, por ele batizado de monumental, localizam-se os prédios públicos do poder e da burocracia. O outro eixo, flexionado e dividido em Asas Sul e Norte, abriga o setor residencial. Na interseção de ambos, o coração da cidade, destinado à estação rodoviária e aos setores de diversão e comércio.

Na memória justificativa, Lucio Costa buscou "naturalizar" o seu projeto e descontextualizá-lo da corrente de urbanismo moderno à qual estava claramente filiado. Iniciou pedindo desculpas, alegando que não pretendia concorrer, mas que a solução lhe surgiu já pronta, portanto, óbvia e natural. Preocupou-se em fornecer referências diversas para elementos típicos de cidades do Ciam: as áreas verdes aludiriam aos *lawns* ingleses de sua infância; a influência de Le Corbusier foi eufemizada por uma filiação intelectual francesa que mescla os eixos e perspectivas à "lembrança amorosa de Paris". As pistas livres, sem cruzamentos, seriam inspiradas pelas auto-estradas que havia percorrido em visita recente aos arredores de Nova York. Reivindicou, acima de tudo, a brasilidade e a atemporalidade de seu plano, correlacionado ao passado e ao futuro da nação; a pureza das linhas remeteria às cidades coloniais, assim como permitiria "inventar a capital definitiva" do futuro brasileiro (Costa: 1995).

Cúpula da Câmara dos Deputados no Palácio do Congresso.

Como estaria representado o futuro nas linhas gerais do plano? Que crítica ao presente estava implícita em sua utopia? O que havia de errado no Rio de Janeiro e nas outras cidades do país? Para Lucio Costa, não diferentemente de outros modernistas, arquitetura e urbanismo eram vistos como meios para realizar o sonho de um domínio racional do futuro em substituição ao caos das cidades capitalistas. A repetição do gesto fundador da cruz aludia a um novo processo civilizador, tão importante como o descobrimento, a partir da nova capital no centro do Brasil.

A rua, o elemento urbano que consubstanciaria o caos do presente, foi eliminada em Brasília. A rua-corredor, aquela que mescla moradias, comércio e serviços, a rua do *flâneur*, a rua das multidões anônimas, a rua dos cruzamentos de trânsito, todas foram abolidas. Nos desenhos e nas páginas do plano, foram substituídas por pistas, vias, passeios, eixos etc. Junto com a rua, desapareceu da cidade a figura do pedestre. O automóvel era central em Brasília: não nos esqueçamos de que o desenvolvimento da indústria automobilística era outra prioridade absoluta do governo JK. Foram aplicadas técnicas rodoviárias ao planejamento de circulação da cidade para atingir os diversos setores de atividades homogêneas e distantes entre si, outra precaução do plano para que Brasília não se assemelhasse às "heterogêneas e caóticas" cidades existentes. O setor residencial buscava criar novas formas de associação coletiva, de hábitos pessoais e de vida cotidiana. Nesse sentido, propunha rejeitar as divisões por classes dos bairros das cidades convencionais. Os apartamentos, de propriedade pública, deveriam ser distribuídos por moradores de diversas camadas sociais. A gradação social seria dada apenas pela maior área do apartamento e pela posição do prédio em relação ao eixo rodoviário. Os blocos de apartamentos em centro de gramado compunham as superquadras, em quadrados de 240 por 240 metros que, com o comércio, serviços, clubes de convivência e outras superquadras anexas, formavam unidades de vizinhança. Esperava-se que o convívio e o uso do mesmo equipamento urbano criassem nas pessoas um laço e uma identidade de pertencimento à comunidade capaz de suplantar as diferenças culturais e sociais prévias. Cada superquadra deveria ter uma cor predominante e seu perímetro plantado com árvores de copas densas, de modo a fornecer proteção para os habitantes e um anteparo visual que amenizasse a visão de uma possível má arquitetura que alguns prédios porventura apresentassem. Para realizar essa proposta "socialista", a terra era de propriedade pública, conferindo ao Estado o papel de instrumento para alterar a realidade e promover o exemplo de novas formas de organização da sociedade brasileira.

Coerentemente, todo o destaque da composição arquitetônica foi dado aos prédios estatais. A nova capital não podia ser confundida com uma nova

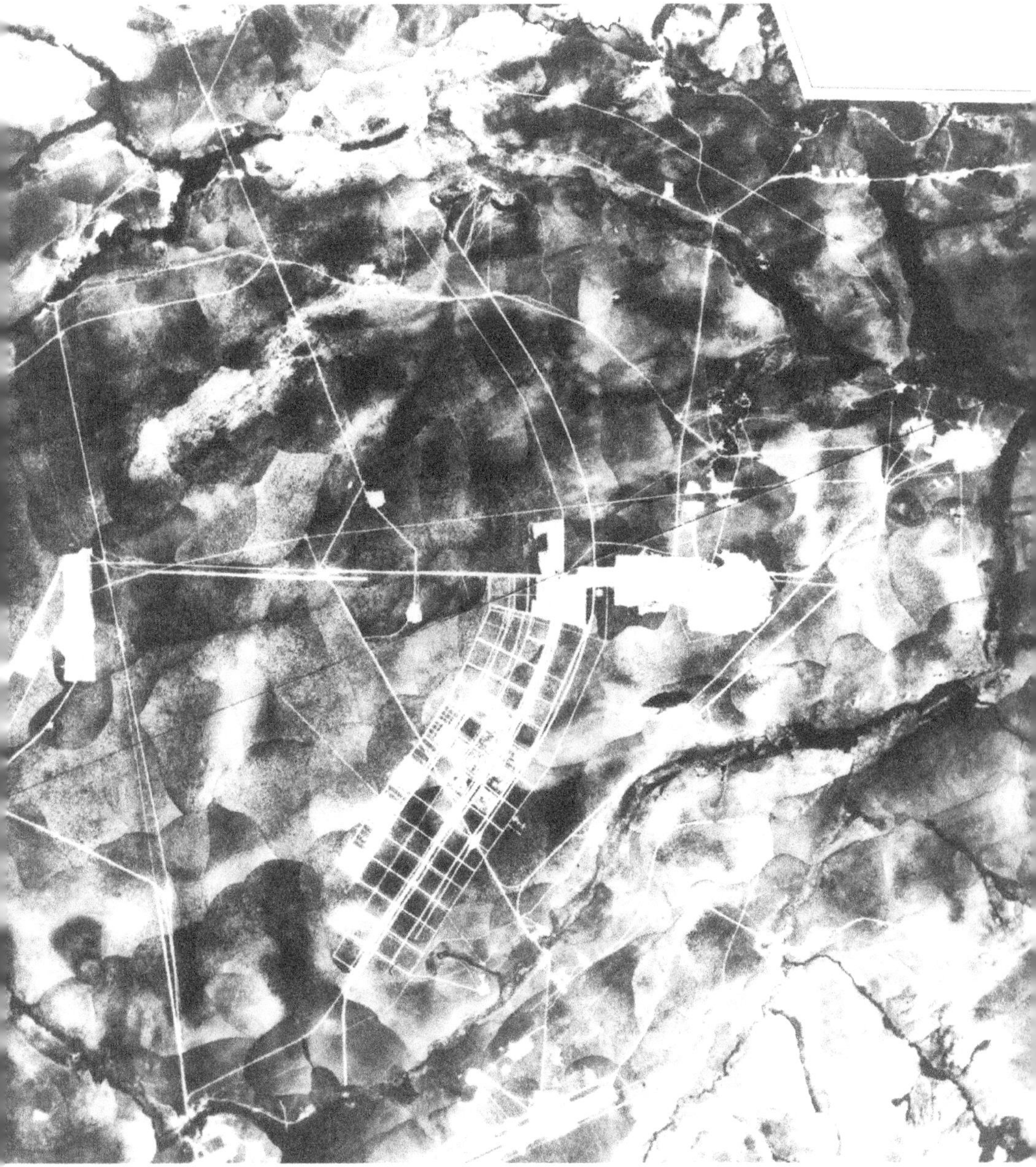

Traçado regulador para a implantação do plano-piloto. Note-se o detelhamento das superquadras na Asa Sul, realizadas antes de suas congêneres da Asa Norte.

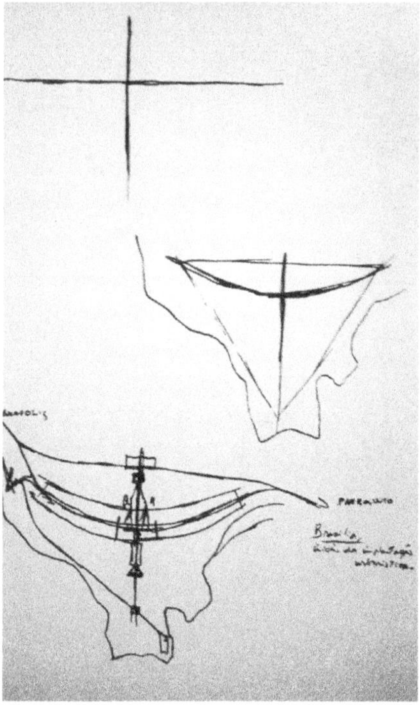

Desenho de Lucio Costa: os gestos iniciais de criação de uma cidade.

Colunata do Palácio da Justiça.

Cúpulas das sedes da Câmara e do Senado.

cidade qualquer, e o meio para marcar essa distinção foi a grandiosidade. Os prédios estatais foram projetados ao longo do eixo monumental, cuja perspectiva conduzia à Praça dos Três Poderes, o "centro do centro" do país que se desejava construir (Costa, op.cit.).

Houve um perfeito entrosamento entre os desenhos de Costa, os prédios de Niemeyer e os artistas convocados para realizar as esculturas públicas. Em muitos casos, o esboço do urbanista parece antecipar a configuração arquitetônica dos palácios, realizando-se, assim, o ideal modernista de indistinção entre arquitetura, urbanismo e artes plásticas. Formou-se um grupo com o que de melhor havia na área da visualidade brasileira, buscando realizar uma arte total que alterasse, através da emoção estética, a percepção e a sensibilidade dos habitantes. A qualidade do grupo conseguiu cativar alguns intelectuais contrários à mudança da capital, como o poeta Manuel Bandeira: "Brasília, neste momento crítico de nossa angústia brasileira, parecia uma idéia antipática; Lucio ganha o concurso do plano-piloto para a construção da futura capital e o seu projeto, lembrando um avião em reta para a impossível utopia, logo dá à iniciativa um ar plausível." (apud Costa, op.cit.)

Oscar Niemeyer teve em Brasília a oportunidade de consolidar, em larga escala, uma linguagem pessoal que vinha se delineando em projetos isolados havia quase duas décadas. Foi um dos primeiros arquitetos a antever a exaustão e o burocratismo das formas para as quais o racionalismo exacerbado conduzira o modernismo. Contrapôs-se ao slogan "a forma deve seguir a função", argumentando ser a forma uma das principais funções da arquitetura, devendo provir das possibilidades plásticas que o concreto armado oferece. Diversamente das experiências brutalistas de Le Corbusier, Oscar Niemeyer procurou a leveza das estruturas que, na Praça dos Três Poderes, por vezes, parecem mal pousar no chão.

Nos palácios de Brasília o arquiteto atingiu uma composição espetacular através da simplificação e da ousadia nas formas exteriores. Conseguiu, desse modo, criar concomitantemente monumentos e símbolos nacionais. As colunas dos palácios da Alvorada e do Planalto, assim como as duplas torres e as abóbadas do Congresso, tornaram-se signos do Estado, do país e do próprio desejo de modernidade brasileira. Cópias das colunatas do Alvorada, como em uma epidemia estilística, surgiram nas casas das periferias das cidades brasileiras, tornando-se um dos exemplos de apropriação da arquitetura moderna pela cultura de massas.

À exceção de alguns críticos – como Kenneth Frampton (1980), que lamenta a perda da complexidade das formas que Niemeyer havia utilizado na Pampulha, e Bruno Zevi (1961), que de seu ponto de vista orgânico considera arbitrárias e gratuitas as formas da capital –, Brasília teve uma repercussão bastante favorável nas revistas especializadas internacionais; figuras improváveis e externas ao meio, como Jean-Paul Sartre e Alberto Moravia, escreveram textos a favor da arquitetura "onírica" e "ideal" da cidade.

Os ministérios são projetados em dois renques costeando o Eixo Monumental, propositalmente discretos e iguais, de modo a dirigir o olhar e acentuar a monumentalidade da Praça dos Três Poderes. Concluídos após a inauguração, a Catedral e o Palácio dos Arcos apresentam um tratamento singular e um uso diverso da estrutura do concreto armado, explorando a sua própria textura e cor natural. São colocados por alguns, como Yves Bruand (1981), entre as obras-primas de Niemeyer.

De modo a garantir o nível arquitetônico da capital, Oscar Niemeyer definiu a configuração geral e selecionou os arquitetos dos prédios que não sairiam de sua prancheta, geralmente aqueles destinados ao uso residencial. Primam eles pela discrição e gabarito de seis andares, estipulado por Costa, permitindo às mães ter ao alcance da voz os filhos que brincam nos gramados.

O que fez Juscelino Kubitschek, um político conservador, abraçar com entusiasmo um plano coletivista para a capital do país? Ingenuidade ou a calma consciência de que estava comprando a melhor grife estética e que tudo o mais se acomodaria à realidade política e social brasileira?

Brasília foi a grande prioridade da estratégia de marketing do governo Kubitschek. Foi construída em três anos, com tijolos e outros materiais transportados de avião, sob a alegação de que o presidente sucessor não daria prosseguimento às obras. Do ponto de vista econômico, foi uma catástrofe, pois o país precisou emitir uma quantidade insensata de moeda, originando uma gigantesca inflação cujos reflexos se fizeram sentir durante as décadas subseqüentes.

A construção de Brasília conseguiu, entretanto, entusiasmar a maioria dos brasileiros, sobretudo aqueles das camadas populares. Houve recrutamento de operários por todo o país, principalmente no Nordeste, que havia sofrido uma grande seca. O governo lançou uma campanha associando a ida para o Centro-Oeste à epopéia do *far-west* norte-americano do século anterior. A nova capital era associada a uma oportunidade para os mais pobres e a um marco do futuro brasileiro mais rico e mais justo. A correlação de uma "assinatura" arquitetônico-urbanística ao projeto político provou-se eficaz: apoiar a construção de Brasília era considerado um gesto progressista – abraçado por fração significativa dos intelectuais e da classe estudantil –, e os oponentes da empreitada ganhavam a pecha de conservadores. Da perspectiva atual, não deixa de ser surpreendente que, mesmo com os mais sensatos argumentos, a oposição não tenha conseguido colocar a opinião pública, sequer no Rio de Janeiro, contra a transferência da capital.

CAPÍTULO 17

Ilusões Desfeitas

Pelas previsões da Novacap, apenas um terço dos operários que trabalharam na construção de Brasília lá permaneceria após a inauguração, devendo ser incorporado ao setor de serviços. Outro terço seria instalado em colônias agrícolas para abastecer a capital e esperava-se que o terço restante voltasse para as terras de origem. Sucedeu que praticamente nenhum operário decidiu abandonar a nova capital e, em muitos casos, a eles se juntaram seus familiares. O erro de previsão fez com que não houvesse moradias disponíveis no plano-piloto, inaugurado inconcluso, com as construções limitando-se à Asa Sul. Surgiram acampamentos de excluídos, muito semelhantes às favelas existentes nas maiores cidades brasileiras; a contragosto, o governo "legalizou" tais aglomerações, originando-se daí as cidades-satélites. O plano de Costa previa tais satélites, em moldes urbanísticos modernistas, apenas quando houvesse uma saturação populacional do plano-piloto. Ironicamente, já por ocasião de sua abertura, a capital, que pretendia ser igualitária e exemplar, confina os mais pobres à periferia, tornando-se a mais segregante de todas as cidades brasileiras.

Outra ilusão imediatamente desfeita foi a da convivência de várias gradações sociais nas superquadras. Brasília era, desde o início, uma cidade de parlamentares e funcionários públicos organizados de acordo com rígidos preceitos hierárquicos. Como esperar que no setor residencial reinasse uma lógica de igualitarismo? Houve toda sorte de choques no convívio, e os critérios burocráticos de distribuição dos imóveis tendiam a privilegiar, cada vez mais, os funcionários de alto escalão. Em 1965, foi permitida a comercialização dos apartamentos, e a lei de mercado expulsou os funcionários mais modestos que ainda ocupavam unidades nas superquadras.

As formas inovadoras da catedral de Brasília.

A população do plano-piloto, em sua maioria provinda do Rio de Janeiro, não se adaptou a um espaço urbano do qual foram eliminadas as ruas e praças, locais tradicionais de trocas e de convívio espontâneo. Os clubes de convivência não foram freqüentados de acordo com a expectativa e alguns desvios no plano aconteceram, buscando recriar a rua, o elemento mais execrado pelos modernistas. No comércio local, estavam previstas duas fileiras de lojas com entrada para os gramados das superquadras e fundos – que foram, na prática, utilizados como frente em uma tentativa de recriar uma pequena rua-corredor nos moldes tradicionais – para uma rua de carga e descarga. A sua extensão pequena, porém, frustra mais do que sacia o desejo de flanar por calçadas e vitrines de uma rua "tradicional".

As vias situadas a oeste das superquadras, W3 sul e norte, destinadas originalmente à circulação de veículos pesados, ganharam estabelecimentos comerciais. Passaram a constituir o que Brasília apresenta de mais parecido com avenidas tradicionais e, por isso mesmo, são consideradas pelos autores e críticos modernistas como uma deturpação ou um desvio do plano.

O centro de diversões da cidade, o seu core, estava previsto para a plataforma na interseção dos eixos. Pretendia ser, nas palavras de Lucio Costa, uma "mistura em termos adequados de Piccadilly Circus, Times Square e Champs Elysées" (Costa, op.cit.). Durante algum tempo, o centro se limitou à estação rodoviária, que serve apenas como ponto de encontro para os habitantes mais pobres, em trânsito para as cidades-satélites. Dois conjuntos comerciais, canhestros *shopping centers*, são construídos sem, contudo, conseguirem congregar os moradores na escala e espírito pretendidos por Lucio Costa.

A separação da cidade em setores estanques denuncia uma concepção mecânica e segmentada da vida social, provocando uma ausência de surpresas e de possibilidade de trocas entre os seus habitantes. Nem mesmo o visitante foi poupado nesse positivismo espacial: os hotéis estão concentrados em setores específicos, colocando o hóspede em convívio somente com outros turistas. Os espaços de Brasília propiciam o convívio apenas de iguais: elites privilegiadas nos clubes à beira do lago, mais pobres na rodoviária, categorias funcionais nos trabalhos e blocos residenciais – muitos deles ocupados majoritariamente por membros do mesmo ministério ou setor público.

O Distrito Federal hoje

Triste ironia: na capital de um futuro socializante, os espaços de convívio relativamente democráticos, na atualidade, são os *shopping centers*, que proliferam no espaço intermediário entre o plano-piloto e as cidades-satélites,

Palácio dos Arcos: sede do Ministério das Relações Exteriores.

assim como nos setores comerciais, próximos da interseção entre os eixos monumental e residencial.

Quarenta e seis anos após a sua fundação como capital do governo federal, importantes órgãos ainda funcionam no Rio de Janeiro. A cidade ainda vive, quase exclusivamente, na dependência da economia estatal, esvaziando-se nos fins de semana com o êxodo, por avião, de parlamentares e funcionários de alto escalão para os seus estados de origem. Um expressivo contingente da população é provisório, permanecendo na capital apenas durante o período de ocupação de cargos burocráticos.

Diferentemente dos tempos pioneiros, é péssimo o nível da arquitetura ali produzida nos últimos dez anos, cópias baratas de um pós-modernismo de Miami. Apesar disso tudo, muitas pessoas adoram morar em Brasília e todos são unânimes em afirmar que a cidade é excelente para a criação de filhos pequenos. A maioria dos admiradores desse estilo de vida tem origem em um meio rural ou provém de cidades pequenas. Não deixa de ser curioso que a capital que se pretendia o centro cosmopolita do futuro seja apreciada hoje por suas qualidades bucólicas.

Confrontados com as críticas a Brasília, seus autores tendem a imputar à conjuntura as raízes de todos os males da cidade: mais precisamente, aos governos militares (1964 a 1985) e à estrutura desigual da sociedade brasileira. Reafirmam os princípios de seu plano, embora reconheçam que superestimaram os limites da atuação do arquiteto para a transformação dessa realidade. Esse raciocínio perpetua habilmente as utopias que, irrealizadas por intervenção de motivos conjunturais, poderiam sempre retomar como possibilidade, uma vez que os impedimentos desaparecessem.

Críticas mais severas apontam a ingenuidade das formulações modernistas e situam em sua monumentalidade e determinismo ambiental o germe das modificações e do uso segregante que Brasília passa a favorecer (ver Holston: 1989). A idealização de um poder espetacular contida no plano se prestou como uma luva para o uso autoritário que os militares dela fizeram.

Quando assumiram o poder em 1964, os militares consideraram seriamente a hipótese de retornar a capital para o Rio de Janeiro. Brasília era referida como um sonho do "faraó" Juscelino, exemplo de irresponsabilidade e corrupção de um governo civil. Chegou a ser cogitada, em um determinado momento, a transformação de Brasília em uma cidade-livre para o jogo, a exemplo de Las Vegas. Os militares perceberam, entretanto, que as vantagens que a nova capital lhes proporcionava superavam em muito a tentação de desfazê-la. Isolados da opinião pública e temerosos da pressão das massas nas ruas, souberam perceber na inacessibilidade e no isolamento de Brasília o conforto para o exercício de um poder ditatorial que a cidade e o palácio de governo no Rio, à beira da calçada de uma rua movimentada, certamente não lhes traria.

O projeto de Brasília era ao mesmo tempo arquitetônico e social. Abstrair-se desse fato e apreciá-la de um ponto de vista apenas estético corresponderia a uma crítica da Bíblia que só abordasse a sua sintaxe, ou a uma análise da obra de Karl Marx, *O Capital*, que se limitasse a examinar encadernação, moldura e qualidade do papel. O tempo se encarregou de quebrar a onipotência moderna de alterar a sociedade através da arquitetura e do urbanismo, do mesmo modo que indica terem os modernos criado um dos mais consistentes estilos de nossa história arquitetônica.

Brasília foi inscrita como patrimônio da humanidade na lista da Unesco por ser o único exemplo, em sua escala, de uma cidade modernista completa. As suas proposições urbanas mais gerais são consideradas "monumento nacional", e estão defendidas pela legislação federal sobre o Patrimônio Histórico e Artístico Nacional. Está, assim, perpetuado o modelo de urbanismo que os modernos quiseram implantar.

O que restou de Brasília e do seu plano reformador? Belos prédios, a consolidação de uma linguagem arquitetônica autônoma, a perda da onipotência transformadora moderna e uma capital que segue o seu rumo, com todas as vicissitudes e dificuldades de um país que ainda está à procura de seus melhores atributos e desempenho.

AV. RIO BRANCO
DE SETEMBRO

Epílogo

Qual o interesse por um estudo que mescla antropologia, história e arquitetura para analisar o momento de criação dos cânones estéticos que, criados há mais de 50 anos, perduram até os dias de hoje? Acredito que a principal vantagem é a de, sem reduzir a análise das formas a modelos sociológicos grosseiros, "desnaturalizar" opções estéticas consideradas, até então, livres e arbitrárias, fornecendo novos ângulos para a sua fruição e entendimento. Ao reconstituir em profundidade o debate de época, procurei evitar uma dupla armadilha: uma, a de adotar o ponto de vista dos "dominantes", reduzindo todas as outras correntes e estilos a tal ótica, o que é feito na enorme maioria dos livros sobre história da arquitetura no Brasil; outra, tão grave quanto a anterior e usual em abordagens "pós-modernas", seria a de analisar os modernos de um ponto de vista atual, sem contextualizá-los nem aos seus interlocutores de época. Tais estudos tornam inteligentes e espirituosos os seus autores ao preço de uma crítica fácil e superficial, que transforma em anacrônica a atuação do grupo enfocado. O exame de discussões estéticas, alinhamentos de grupos e apadrinhamentos governamentais fornece, também, contribuição para um entendimento mais aprofundado da sociedade brasileira, sobretudo no tocante às interações de suas elites e às relações entre arte/cultura e o Estado enquanto mecenas.

Aparente paradoxo – que de algum modo aponta para uma certa autonomia das questões internas no campo arquitetônico – é o contraste entre as suas querelas e o clima político brasileiro na época em que se produziram tais debates: em uma ditadura como a do Estado Novo, conviviam e disputavam o domínio do campo variadas correntes arquitetônicas. No período democrático e pluripartidário do governo de Juscelino Kubitschek, a corrente moderna reina sozinha e absoluta. Se a possibilidade de estilos tão diversos, em um período de fechamento político, aponta para um não-monolitismo do Estado, os métodos de ação utilizados – anulação

No bojo da reformulação da cidade do Rio de Janeiro, em 1940, a prefeitura faz estudos para novos gabaritos na avenida Rio Branco.

de concursos públicos e convite pessoal feito pelos titulares dos ministérios – indicam uma utilização monolítica dos instrumentos ditatoriais de poder. Para dominar o seu campo, os modernos possuíam um discurso arquitetonicamente fundado e um elo com o campo da burocracia; o movimento de autonomização se dá, em aparente contraste, com métodos políticos pouco autônomos e com um forte papel da ação humana individual: em *démarche* "iluminista", os modernos, munidos das competências específicas, utilizam-se do mecenato estatal para furar o bloqueio do burocratismo das formas.

Um ponto central no sucesso dos modernos foi a sua habilidade em criar e gerir monumentos nas três frentes: a construção de grandes obras estatais para o Estado Novo, a instauração de um Serviço de Patrimônio responsável pelos monumentos nacionais e projetos de moradias econômicas, concebidas igualmente grandiosas, para a implantação, no país, de uma política de habitação popular.

A procura da emoção e da escala monumental é, freqüentemente, integrante das realizações modernas: "Uma pessoa pode até não gostar de um projeto meu, mas não consegue ficar indiferente: a arquitetura deve surpreender e criar emoções. O que nos ficou do Egito não foram as casas do dia-a-dia, mas as grandes realizações." (Oscar Niemeyer, depoimento em 1989) Em Brasília, tal característica aparece não só nos palácios, mas também no plano urbanístico de Lucio Costa, que batiza a principal via da cidade de Eixo Monumental.

Mesmo em tipos de prédios nos quais seria menos esperada, como é o caso das moradias populares, a monumentalidade está presente, com a justificativa de se constituir em símbolo e prenúncio de como deveriam habitar as camadas populares. A gestão dos monumentos históricos pelo órgão criado pelos modernos é igualmente vitoriosa: "Mesmo críticos renitentes aceitariam que a experiência de preservação do assim chamado patrimônio histórico e artístico nacional constitui a política cultural mais bem-sucedida na área pública deste país." (Miceli: 1987)

O entendimento da vitória modernista no campo arquitetônico não é possível, como desejava a historiografia arquitetônica, tratando-se unicamente da construção do prédio do MES. O controle que os modernos conseguem obter depois do episódio do Hotel de Ouro Preto é tão ou mais importante para tal compreensão. No enfoque meramente arquitetônico, pouca importância lhe era atribuída, possivelmente por se tratar de um prédio sem grandes qualidades estéticas dentro da obra de Niemeyer e da arquitetura brasileira. O processo de sua execução ensejou, entretanto, o estabelecimento de normas e posturas que firmam os cânones modernos ao colocar a produção dessa corrente em pé de igualdade com a setecentista mineira, unanimemente considerada a mais cara e sagrada do Brasil. Após a construção do hotel, os modernos impõem seus princípios internos como construtores dos monumentos futuros e árbitros do gosto nacional.

Outra das características principais que assinala a especificidade do modernismo arquitetônico brasileiro é o fato de ser o mesmo grupo e praticamente os mesmos personagens que, a um só tempo, revolucionam as formas, zelam pela preservação das construções pretéritas e elaboram propostas para a construção de conjuntos populares. Na Europa, correntes distintas tratavam desses assuntos, como colocado por Choay (1984):

> No começo dos anos 30, duas conferências se desenrolaram, sucessivamente, em Atenas. A primeira, reunida em 1931 sob a égide da Sociedade das Nações, abordou, pela primeira vez em um âmbito supranacional, a questão da preservação de monumentos históricos. ... A segunda, realizada em 1933 pelo Ciam (Congresso Internacional de Arquitetura Moderna), tinha por objetivo a promoção de uma nova arquitetura e de um novo urbanismo, que faria tábula rasa do passado.

No Brasil, muito de tal especificidade deve-se à dupla filiação de Lucio Costa como estudioso do passado e idealizador de novas formas. A implantação de um "patrimônio moderno" foi possível, também, pela incipiência do campo arquitetônico nos anos 30 e 40 e, sobretudo, pelo pouco caso devotado às artes nativas pelos dominantes da época, os acadêmicos da Escola de Belas Artes. Fortemente influenciados por uma literatura que via com extremo pessimismo a nação brasileira e tudo que a ela se referisse, consideravam, no início do século XX, um absurdo selecionar obras de valor em um conjunto ao qual não atribuíam a menor importância. Os neocoloniais que lhes seguem pensam no pretérito construtivo brasileiro muito mais como "colecionadores de borboletas" em terreno fantasioso do que nos moldes de um resgate estrutural que estabelecesse uma doutrina adaptável às novas exigências impostas pelos impulsos de industrialização do país. É pensando e agindo nesses novos termos que os modernos conquistam a invejável posição de biógrafos e videntes da arte e da arquitetura no Brasil.

É revelador compararmos as características do Sphan e do Setor de Censura de Fachadas, o órgão por meio do qual os acadêmicos buscavam exercer o domínio e o controle da produção arquitetônica. Este último abrangia apenas as formas externas da produção de prédios isolados e atuava na negatividade, vetando formas que parecessem inadequadas aos cânones da Escola de Belas Artes. Já o Sphan passa a exercer o controle através da positividade, prescrevendo normas e inculcando preceitos construtivos, apresentando uma capilaridade muito mais abrangente de seus poderes: trabalha respaldado pelo conceito de identidade nacional, selecionando tanto a produção pretérita a ser eternizada como a futura, que figurará ao lado desse *panthéon* construtivo. O Serviço de Patrimônio atua numa escala urbana e com a noção de ambiência, ampla o bastante em escala e idéia para lhe conferir o papel de planejador urbano ao lado de órgãos da prefeitura. Ao operar mesclando padrões estéticos com conceitos de nacionalidade e identidade, logra atingir uma inquestionabilidade e um tom ético-emocional que confere certo ar perene e absoluto a regras visuais e noções de memória que, na realidade, foram histórica e socialmente construídas.

Um traço igualmente distintivo do modernismo brasileiro é que, desde os seus primórdios, ele se constitui com o apoio e o patrocínio do Estado. Há uma coincidência dos princípios modernos com os de correntes intelectuais do Ministério da Educação, encarregadas de estabelecer os parâmetros artísticos de um Estado que se queria novo e que pretendia "fundar" um país. No plano artístico, tal política implicava produzir formas e estilos que incorporassem realidades pouco estudadas em um projeto de transformação das mesmas. A disputa por um mercado estatal é ainda mais importante em um país no qual as elites só aceitavam as formas novas depois de uma chancela de prestígio conferida pela utilização em prédios estatais. Lucio Costa relata, a esse respeito, o período de penúria passado em seu escritório de 1931 a 1936, depois de haver sido demitido da Enba, pois os clientes exigiam projetos ecléticos ou neocoloniais que ele se recusava a fazer.

Na Europa, à exceção de experimentos em alguns pequenos estados alemães antes da ascensão do nazismo, as formas modernas eram exercidas em pequena escala e para mecenas provindos das elites. Na França do início dos anos 30, possuir uma casa moderna para os fins de semana desempenhava papel quase análogo ao de colecionar telas dos pintores de vanguarda, como Braque, Picasso e Matisse.

Os arquitetos de vanguarda viam em nosso país – que apresentava certa pujança financeira e a disposição de construir em larga escala – a oportunidade para exercitar as suas formas e provar a viabilidade de suas construções, a fim de tentar depois converter tais realizações em reconhecimento no meio profissional de seus países de origem. Le Corbusier, com dificuldades de inserção no mercado francês, escreve uma série de oito cartas a Capanema, depois de haver sido consultor da sede do MES, propondo diversos planos para o Brasil. Piacentini, por seu turno, devota interesse e empenho muito menores em construir no Brasil depois de ter caído nas boas graças das encomendas estatais da Itália de Mussolini.

Aos brasileiros, interessavam, por seu turno, o aval dos mestres renovadores estrangeiros e o contato para a inserção em um mercado internacional. A arquitetura moderna passa a ser, daquela época até a construção de Brasília, um produto de exportação, associando-se a uma imagem de um Brasil progressista e moderno, como ilustrado em matéria do *New York Times* de 13 jan 1943:

> Nova-iorquinos que se orgulham de seus arranha-céus terão a oportunidade de ver algumas das mais excepcionais realizações de outra grande nação do hemisfério ocidental, quando o Museu de Arte Moderna, 11 West Fifty-Third Street, abrir hoje sua exposição intitulada "Brazil Builds".

Um ponto importante deste livro é não tratar os concursos isoladamente, como fizeram, até então, os estudos de história da arquitetura, que destacavam tão-somente o prédio do MES, em conseqüência do domínio moderno; os outros prédios eram considerados de tal desimportância que não mereciam menção, muito menos estudo. Havia, ainda, certo embaraço em situar o prédio do MES no quadro do Estado Novo de Vargas, como se tal contextualização tirasse a sua aura quase mítica de berço das formas e da genialidade de Oscar Niemeyer. Ocorre que o isolamento de seu tempo torna-o anacrônico e frágil quando os princípios modernos são colocados em xeque pelos olhos pós-modernos do presente. A época e o estabelecimento dos princípios do estilo moderno só podem ser entendidos se examinados em relação à constituição do campo arquitetônico e no bojo dos esforços empreendidos pelo governo para a remodelação da capital no Rio de Janeiro, com a feitura de ministérios e prédios públicos; os ministérios da Educação, do Trabalho e da Fazenda são contemporâneos entre si e aos ministérios do Exército e da Marinha, à Estação e à Torre da Central do Brasil, ao edifício da Alfândega e à sede da ABI. Desempenha a Esplanada do Castelo – obtida com o desmonte do morro de mesmo nome – o papel mais destacado nessa remodelação, similar àquela da Esplanada dos Ministérios em Brasília, 20 anos depois:

> Ao entrar na Esplanada do Castelo, ressalta logo aos olhos do observador uma zona nova da cidade, onde as construções, quase todas grandiosas, obedecem a regras e normas previamente estabelecidas. Essas normas, se rigorosamente observadas, transformarão aquele logradouro num recanto totalmente à parte contrastando com o casario dos velhos bairros, não só pelo aspecto monumental dos edifícios, como também pela orientação moderna das massas arquitetônicas, orientação essa que se vai encaminhando no sentido da preponderância da comodidade, do conforto e das exigências de finalidade sobre quaisquer outras cogitações que possam influir na composição dos projetos, inclusive mesmo as preocupações do belo e do senso estético. (*Revista do Serviço Público*, ano II, vol.II, n.3, jun 1940)

Uma questão fundamental que, possivelmente, precede todas as demais na explicação da vitória dos arquitetos modernos é a sua flagrante superioridade qualitativa em relação a seus contendores tradicionalistas: examinadas de acordo com os parâmetros internos de seus estilos, as obras de Niemeyer, Costa e Reidy figuram em pé de igualdade com as de Le Corbusier, Gropius, Rohe e Frank Lloyd Wright. O resultado é bastante diverso, contudo, se comparamos os prédios de Memória, Morales de Los Rios e Heitor de Mello aos de expoentes do ecletismo europeu.

A afirmação do parágrafo anterior causou espécie, quando do lançamento de *Preocupações do belo*, em 1995, em certa crítica que nela enxergou uma descrença minha nos poderes do método de análise adotado. Justo o contrário. A ilusão da onipotência analítica é que leva, muitas vezes, à ineficácia. Vejamos o caso dos próprios modernos que, no momento examinado por este livro, pensavam que mudariam a sociedade brasileira. O máximo que lograram foi produzir espaços e prédios mais belos, além de colocar o Brasil no mapa arquitetônico do planeta. O que não é pouco. No caso de *Moderno e brasileiro*, a percepção da alta qualidade artística moderna torna a abordagem histórica e antropológica mais eficaz, visto que fundada, também, no entendimento visual interno à produção examinada. O reconhecimento dos limites de determinada abordagem a torna mais eficaz naquilo que pretende: perder a ingenuidade de análise do "belo absoluto", buscando entender em que lugar social e sob quais condições e arranjos foi produzida a obra. Nada mais inútil, contudo, que uma análise sociologicamente redutora de um objeto artístico. Compraz-se com descrever uma pessoa somente pelos ossos de seu esqueleto, esquecendo o formato e a firmeza dos músculos, a textura da pele e o brilho dos olhos. Esse é, infelizmente, o caso de muitos trabalhos que, de modo grosseiro, tudo reduzem a esquemas que encaram a produção artística como simples mercadoria.

Os modernos possuíam, também, um projeto visual de nação incomparavelmente mais globalizante, sofisticado e inclusivo da complexa realidade brasileira. Basta compararmos as concepções de Brasil contidas nos painéis de Portinari sobre os ciclos econômicos brasileiros na ante-sala do gabinete do ministro no MES e as métopas de Cozzo sobre as riquezas naturais e espirituais da nação nas galerias térreas do Ministério da Fazenda, como examinado em nosso terceiro capítulo. No curso das disputas, os tradicionalistas buscaram compensar, sem grande eficácia, sua fragilidade teórica com uma "arenga" denunciadora de supostas posições esquerdistas dos modernos.

A condição de dominantes acarreta, no caso dos modernos, a legitimação em face de largos setores governamentais. Logram produzir nova gama de questões no interior do campo arquitetônico e, ao mesmo tempo, "inventar" um mercado de prédios públicos, que passa a ser, por excelência, a área de sua atuação. O eixo de reconhecimento e prestígio profissionais é alterado, passando da academia para a atuação estatal – construção de cidades, monumentos ou estudos eruditos de patrimônio.

A universidade havia sido o único terreno no qual os modernos foram duas vezes derrotados: na demissão de Costa da direção da Enba e na recusa categórica pela Congregação de seus planos para a Cidade Universitária. A Faculdade de Arquitetura, no Rio de Janeiro, torna-se um reduto de professores tradicionalistas, que, nas aulas, se rendiam ao moderno, enquanto em seus escritórios executavam, geralmente para particulares, obras ecléticas ou neocoloniais.

Os modernos, por seu turno, nutriam certo desprezo pelo ensino formal, apostando em uma visão artística da carreira: valorizavam o dom e o talento inatos, que seriam, por definição, intransmissíveis. A historiografia moderna reforça tal crença ao enfatizar o despertar súbito da genialidade de Oscar Niemeyer, em contato de um mês com Le Corbusier, para a construção do MES: de nada adiantaram os cinco anos de escola para Niemeyer, pois somente um gênio pode reconhecer e despertar o talento incubado de outro.

Tal fato tem como conseqüência, para os alunos, a crença de que é no trabalho que se aprende, supervalorizando os estágios em escritórios dos expoentes modernos; é, por outro lado, reforçado um perfil individualista da carreira, fator que certamente contribuiu para maior fraqueza do movimento no Rio de Janeiro: a não-formação de "escola" e de sucessores à altura da primeira geração acarretou um declínio de qualidade e pouco rigor nos projetos mais recentes.

O resultado das escaramuças pela disputa do campo influenciou não só os rumos da arquitetura brasileira, como também as trajetórias de vida de seus protagonistas. Um lado da questão são os exemplos vitoriosos de Costa e Niemeyer – este produtivo até hoje –, reconhecidos e homenageados por largos setores da sociedade brasileira. Por outro lado, para aqueles "derrotados", o sucesso financeiro e social não eliminou completamente o sentimento de fracasso advindo da sensação de inferioridade no plano simbólico. Carlos Leão abandonou quase completamente a arquitetura e mostrava-se amargurado no final da vida, mesmo após certo sucesso como desenhista. Haver seguido com todas as láureas a carreira universitária e mantido um escritório muito ativo em projetos para particulares, bem como o fato de ser um homem próspero, também não eliminam um sentimento de fracasso no depoimento de Wladimir Alves de Souza: "Esforcei-me para fazer as coisas bem feitas, mas fiz coisas demais. Fiz o que não é considerado muito louvável: decoração e casas nos estilos que os clientes me pediam. Não consegui ser moderno. ..." (depoimento em 1989).

Um dos pontos básicos do ideário moderno era colocar-se acima dos estilos, pretendendo constituir um movimento de ruptura com a história e a tradição anteriores. Na memória justificativa do prédio do MES, Costa afirma não haverem realizado o prédio "em determinado estilo – o que seria lamentável – mas com 'estilo', no melhor sentido da palavra" (Arquivo Capanema, CPDOC/FGV).

O tempo se encarregou de quebrar tal onipotência, do mesmo modo que indica haverem criado um dos mais consistentes estilos de nossa história arquitetônica. Podemos inverter a afirmativa de Kopp em seu livro *Quando o moderno não era um estilo e sim uma causa*. Na realidade, quando era causa, possuía uma radicalidade estética que possibilitou a constituição de um dos melhores estilos já havidos.

No Brasil, Ouro Preto e Brasília corporificam tal estilo e a especificidade de nosso movimento moderno. Lucio Costa e Oscar Niemeyer projetaram a capital do futuro ao mesmo tempo que remodelaram a face da capital simbólica do passado colonial. Ambas se tornaram patrimônio da humanidade, no dizer da Unesco.

Um ponto importante a se observar, em 2006, é o enorme prestígio que a produção moderna brasileira desfruta no meio arquitetônico internacional contemporâneo. A repercussão havia sido grande no pós-guerra, sobretudo entre arquitetos que se dedicavam a reconstruir bairros e cidades, como foi o caso de Claude Ferret, em Royan, e outros profissionais menos conhecidos, em outras localidades da Europa. Durante os anos 60, houve, porém, uma forte reação entre aqueles que, como Walter Gropius e Max Bill, acreditavam que a interpretação livre dos brasileiros, propiciando fantasias formais, afastava a arquitetura do leito conseqüente e seguro do racionalismo estrito. O tempo, contudo, os desmentiu e aumentou, em qualidade e número, os apreciadores de nosso modernismo construtivo.

A partir do esgotamento do funcionalismo ortodoxo e da crítica histórico-decorativa dos pós-modernistas, vários historiadores e profissionais proeminentes passaram a ver uma alternativa para a produção contemporânea, gerada dentro dos princípios do movimento, no estudo e na citação da liberdade estrutural do modernismo brasileiro dos anos 40 e 50. Kenneth Frampton publicou em 2004 um ensaio cotejando Le Corbusier e Oscar Niemeyer, mostrando como o brasileiro veio, em contrafluxo, influenciar a fase final do criador de Ronchamps. Alvaro Siza se refere, com freqüência, ao importante papel que desempenhou em sua formação uma longa viagem que realizou ao Rio de Janeiro no início dos anos 50 para ver a cidade e sua arquitetura. Christian de Portzamparc afirma, reiteradas vezes, que sua obra foi mais influenciada pelo modernismo brasileiro do que pelo francês. Portzamparc e Ram Koolhass – este encantado por São Paulo – dizem que, ainda estudantes, desejavam "ser arquitetos brasileiros quando se tornassem adultos". Norman Foster jamais colocou os pés no Brasil. Em 2003 – por ocasião de palestra na inauguração do Pavilhão projetado por Oscar Niemeyer no Kensington Gardens, em Londres –, ele relatou, emocionado, o impacto que as páginas de *Brazil Builds* lhe provocaram na fria Manchester de sua juventude. Zaha Hadid vem freqüentemente ao Brasil, em particular ao escritório na avenida Atlântica, havendo sido sua a sugestão do nome de Niemeyer para projetar o Pavilhão da Serpentine Gallery em 2003.

Poderia continuar, por extensas páginas, a citar arquitetos contemporâneos que têm, na obra modernista brasileira, uma referência forte para seus trabalhos. Não se trata de acumular citações e nomes como troféus. O importante é sublinharmos que a arquitetura moderna brasileira está longe de ser um item ultrapassado. Sem nostalgia e a partir de uma reelaboração crítica que dialogue com os tempos atuais, ela pode servir de inspiração para a atividade profissional contemporânea. Afinal, parafraseando Lucio Costa, esperemos que o Brasil não esteja vocacionado à mediocridade...

Cronologia

1925

- Gregori Warchavchik publica *Acerca da arquitetura moderna*, manifesto a favor do novo estilo.

1926

- Alfred Agache elabora um plano urbanístico para a cidade do Rio de Janeiro.

1928

- Pronta a primeira construção moderna do país, a casa de Gregori Warchavchik.

1929

- Primeira visita de Le Corbusier ao Rio de Janeiro e a São Paulo.

1930

- Getúlio Vargas assume o poder por meio de revolução armada.
- É criado o Ministério do Trabalho, instalado no mesmo prédio onde funcionava o Conselho Nacional do Trabalho.
- Exposição da Casa Modernista, em São Paulo.
- Lucio Costa é nomeado diretor da Enba.

1931

- Realização do Salão de Arte Moderna na Enba.
- Lucio Costa é demitido da Enba.

1932

- Revolta Constitucionalista de São Paulo.
- Fundação da Ação Integralista.
- Fundação do Club dos Artistas Modernos.

1933

- Obtenção de um terreno na Esplanada do Castelo para a construção da sede do Ministério do Trabalho, com projeto da seção de engenharia do Conselho Nacional do Trabalho.
- Frank Lloyd Wright permanece seis meses no Rio, na condição de jurado de concurso para escolher um projeto para o Memorial a Cristóvão Colombo, a ser construído em São Domingos. Visita a Exposição de Arquitetura Tropical em casa projetada por Costa e Warchavchik.
- Criação do Ministério da Educação e Saúde.
- Gilberto Freyre publica *Casa grande e senzala*.
- Construção dos apartamentos econômicos da Gamboa, de Costa e Warchavchik.

1934

- Fundação da Universidade de São Paulo.
- Autorizada pelo presidente Getúlio Vargas a construção da sede do Ministério da Fazenda.
- Criação da Inspetoria de Monumentos no Museu Histórico Nacional.
- Projeto de Costa para a cidade operária de Monlevade.
- Início da construção da sede do Ministério da Marinha.
- Gustavo Capanema é nomeado ministro da Educação e Saúde.
- Recusada a aprovação do primeiro plano para a sede do Ministério do Trabalho, por ultrapassar a altura permitida para o local, de acordo com o Plano de Remodelação da Cidade.

1935

- Concurso de anteprojetos arquitetônicos para a construção da sede do MES.
- Regresso de Luís Carlos Prestes ao Brasil.
- Publicado o primeiro número de *Belas Artes*, jornal simpatizante do movimento moderno.
- Projeto marajoara de Archimedes Memória ganha o concurso para a sede do MES.
- Concurso para a construção do Palácio do Jornalista, sede da ABI, Associação Brasileira de Imprensa, ganho pelos modernos Irmãos Roberto.
- O ministro do Trabalho acerta com a prefeitura carioca a permuta por um terreno contíguo maior, de sorte que se atingisse a área necessária para o Ministério sem que fosse desrespeitado o gabarito máximo para o local.
- Adotado o projeto definitivo para a sede do Ministério do Trabalho, de autoria do arquiteto Mário dos Santos Maia.
- Intentona Comunista.
- Vinda ao Rio do arquiteto italiano Marcello Piacentini.

1936

- São pagos os prêmios aos três projetos vencedores – o de Memória, o de Rafael Galvão e o de Gérson Pinheiro – no concurso para a sede do MES.
- Capanema efetua os primeiros contatos com Lucio Costa para a construção da sede do MES.
- Capanema escreve carta ao presidente Vargas em que expõe a insatisfação com os planos selecionados pelo concurso e solicita autorização para a contratação de Lucio Costa e equipe.
- Início da construção da ABI.
- O ministro Capanema desiste de construir o plano de Memória.
- Início da edificação do Entreposto de Pesca, ao lado da praça XV.
- Início da construção da nova Estação Pedro II.
- Capanema convida oficialmente Lucio Costa para elaborar um novo plano, e este constitui a equipe integrada por Affonso Eduardo Reidy, Carlos Leão, Jorge Moreira, Ernani Vasconcelos e Oscar Niemeyer.
- A equipe apresenta o primeiro projeto em forma de U.
- Le Corbusier chega ao Rio de Janeiro, onde permanece quatro semanas trabalhando com a equipe brasileira no projeto do MES e nos primeiros planos para a cidade universitária.
- Getúlio Vargas e o ministro do Trabalho, Agamenon Magalhães, lançam a pedra fundamental da sede ministerial.
- Início das obras do Ministério do Trabalho.
- Iniciada a construção do prédio do MES.
- Mário de Andrade elabora, a convite de Capanema, o anteprojeto para a criação do Sphan.

- O Sphan começa a funcionar, informalmente, no escritório de Rodrigo Melo Franco de Andrade.
- Resultado do concurso para a construção da sede do Ministério da Fazenda, com a vitória do projeto de Wladimir Alves de Souza e Enéas Silva; em segundo lugar, o projeto de Oscar Niemeyer, Jorge Moreira e José de Souza Reis; e, em terceiro, o de Rafael Galvão.

1937
- Extinção da Inspetoria de Monumentos no Museu Histórico Nacional.
- Os integralistas lançam Plínio Salgado à sucessão presidencial.
- Vinda de Vitorio Mopurgo, assessor de Piacentini, para a elaboração dos planos da cidade universitária.
- Criação do Sphan e nomeação do diretor Rodrigo Melo Franco de Andrade.
- Golpe do Estado Novo.
- Anunciada a desistência de construir o projeto vencedor, de Alves de Souza e Enéas Silva, para a sede do Ministério da Fazenda.
- Permuta por terreno localizado na Esplanada do Castelo para a construção da sede do Ministério da Fazenda.
- Decretado o fechamento da Ação Integralista.

1938
- Governo mineiro decide construir um hotel em Ouro Preto; Sphan encarrega Carlos Leão de fazer o projeto.
- Inauguração do prédio da ABI.
- Frustrada a tentativa integralista de tomar o Palácio Governamental.
- Início da construção do prédio do Ministério da Guerra.
- Inaugurado por Vargas, no primeiro aniversário do Estado Novo, o Palácio do Trabalho.
- Inauguração da sede do Ministério da Marinha.
- Estatização do gás e do petróleo nacionais.
- Para a elaboração do novo plano para a sede da pasta da Fazenda, é criado um escritório técnico, no âmbito dos quadros do próprio Ministério.
- Início das obras do Ministério da Fazenda.

1939
- Oscar Niemeyer elabora o projeto para o Grande Hotel de Ouro Preto.
- Inauguração do prédio do novo Entreposto de Pesca.
- Início da construção do edifício da Alfândega.
- É criado o DIP, Departamento de Imprensa e Propaganda.
- Lucio Costa e Oscar Niemeyer realizam o Pavilhão do Brasil na Feira Internacional de Nova York.

1940
- Inauguração da nova Estação Pedro II (Central do Brasil).
- Desmantelados os remanescentes do Partido Comunista.
- Instalação de bases norte-americanas no Recife, em Belém e em Natal.
- É criado, nos EUA, o setor que desenvolverá as ações da Política da Boa Vizinhança, sob o comando de Nelson Rockefeller.

1941
- Fundação da primeira siderúrgica nacional, fruto da aproximação com os EUA.
- Inauguração do novo edifício da Alfândega.

1942

- Inauguração do prédio do Ministério da Guerra.
- Inauguração da Casa do Baile e do Cassino na Pampulha, em Belo Horizonte, projetos de Oscar Niemeyer encomendados pelo então prefeito Juscelino Kubitschek.
- Brasil declara guerra ao Eixo.
- O arquiteto Philip Goodwin e o fotógrafo Kidder-Smith passam seis meses no Brasil, sob os auspícios do Instituto Norte-Americano de Arquitetos, preparando o livro e a exposição "Brazil Builds".

1943

- Estréia, no Museu de Arte Moderna de Nova York, a mostra "Brazil Builds".
- Inaugurada a igreja da Pampulha.
- Inaugurada por Vargas a sede do Ministério da Educação e Saúde.
- Manifesto de políticos e intelectuais mineiros pedindo a redemocratização.
- Getúlio Vargas inaugura o prédio do Ministério da Fazenda.

1944

- Brasil envia 25 mil soldados para combater ao lado dos aliados na Itália.

1945

- Morte de Mário de Andrade.
- Anistia aos presos políticos.
- Legalização do Partido Comunista Brasileiro, ao qual se filiam vários intelectuais, entre os quais Oscar Niemeyer.
- Brasil reconhece a URSS.
- Getúlio Vargas é deposto.
- O general Eurico Gaspar Dutra é eleito presidente da República.

1946

- Promulgação da Constituição.
- Proibição do jogo e fechamento dos cassinos.

1947

- É cassado o registro do Partido Comunista Brasileiro.
- A revista francesa *Architecture d'Aujourd'hui* publica um número especial sobre a arquitetura moderna brasileira.
- Brasil rompe relações com a URSS.
- Tombamento pelo Sphan do conjunto da Pampulha.
- Assis Chateaubriand funda o Museu de Arte de São Paulo.

1948

- Fundação do Museu de Arte Moderna do Rio de Janeiro.
- Tombamento pelo Sphan do prédio do MES.

1950

- Getúlio Vargas é eleito presidente constitucional do Brasil.
- Realização no Brasil da Copa Mundial de Futebol.
- Inauguração do estádio de futebol do Maracanã, projeto de Gerson Pompeu de Sousa em concurso no qual Oscar Niemeyer foi segundo colocado.

1951
- Inauguração da Primeira Bienal Internacional de Artes Plásticas, em São Paulo.
- Inauguração da casa de Lina e Pietro Maria Bardi.

1952
- Final da construção do Conjunto do Pedregulho, de Affonso Reidy.
- Criação do Banco Nacional do Desenvolvimento Econômico.
- Manifesto do Grupo Concreto, encabeçado por Haroldo de Campos, Décio Pignatari e Augusto de Campos.

1953
- Inauguração da Casa das Canoas, residência particular de Oscar Niemeyer.
- Criação da Petrobras.
- Lygia Clark vence o Salão Nacional de Arte Abstrata.

1954
- Abertura do Parque do Ibirapuera, em São Paulo.
- Atentado contra Carlos Lacerda, atribuído a agentes de segurança ligados ao Palácio do Catete.
- Suicídio de Getúlio Vargas.

1955
- Juscelino Kubitschek é eleito presidente da República e lança o seu plano de metas para desenvolver o país, nele incluindo a transferência da capital.
- Inauguração da usina hidroelétrica de Paulo Afonso.
- Oscar Niemeyer cria a *Revista Módulo*.

1956
- Juscelino Kubitschek convida Oscar Niemeyer para conceber a arquitetura de Brasília e Lucio Costa vence o concurso do plano urbanístico para a construção da nova capital no cerrado goiano.

1957
- Início da construção de Brasília.

1958
- Inauguração de parte da sede definitiva do Museu de Arte Moderna do Rio de Janeiro, de Affonso Eduardo Reidy.
- Projeto de Lina Bo Bardi para o Museu de Arte de São Paulo.

1959
- Assinatura do Manifesto Neoconcreto por Ferreira Gullar, Hélio Oiticica, Lygia Papee, Lygia Clark, entre outros.
- O Brasil rompe com o FMI.

1960
- Inauguração de Brasília.
- Jânio Quadros é eleito presidente, com votação avassaladora.

Bibliografia

Anais do Museu Histórico Nacional, n.2, 1942.

ANDRADE, Carlos Drummond de. *O observador no escritório*. Rio de Janeiro, Record, 1985.

ANDRADE, Mário de. "Arquitetura colonial". *Diário Nacional*, 23-30 ago 1928.

AUGUSTO, Sergio. *Este mundo é um pandeiro: a chanchada de Getúlio a JK*. São Paulo, Companhia das Letras, 1989.

BARROSO, Gustavo. *O quarto império*. Rio de Janeiro, s/ed., 1942.

BELOCH, Israel e Alzira Alves de Abreu (org.). *Dicionário Histórico Biográfico Brasileiro*. Rio de Janeiro, CPDOC/FGV, 1984.

BOMENY, Helena. "Patrimônio da memória nacional". In Lauro Cavalcanti (org.). *Ideólogos do patrimônio cultural*. Rio de Janeiro, IBPC, 1991.

BRENNA, Giovanna Rosso del. *O Rio de Janeiro de Pereira Passos*. Rio de Janeiro, Index, 1985.

BOURDIEU, Pierre. *La noblesse d'État: grandes écoles et esprit de corps*. Paris, Les Éditions de Minuit, 1989.

_________. "Sistemas de ensino e sistema de pensamento". In *Economia das trocas simbólicas*. São Paulo, Perspectiva, 1974.

_________. "Le marché des biens symboliques". *L'Année sociologique*, n.22, 1971.

_________ e Loïc Wacquant. *Réponses: pour une anthropologie reflexive*. Paris, Seuil, 1992.

BRUAND, Yves. *Arquitetura contemporânea no Brasil*. São Paulo, Perspectiva, 1981.

BUARQUE DE HOLLANDA, Sérgio. *Raízes do Brasil*. Rio de Janeiro, José Olympio, 1936.

BURNNET, John. *A Social History of Housing: 1815-1985*. Londres, Menthuen & Co., 1986.

CAMPOFIORITO, Italo. "O patrimônio cultural: um balanço crítico". *Revista do Brasil*, n.4, 1985.

CASTRO, Ruy. *Carmen Miranda*. São Paulo, Companhia das Letras, 2005.

CAVALCANTI, Carlos (org.). *Dicionário Brasileiro de Artistas Plásticos*. Brasília, Instituto Nacional do Livro/ MEC, 1973.

CAVALCANTI, Lauro (org.). *Modernistas na repartição*. Rio de Janeiro, UFRJ/ Paço Imperial, 1993.

_________. "Le rôle du nationalisme dans la vie intellectuelle". Cópia mimeografada. Paris, EHESS, 1990.

_________. "Niemeyer ni pire". *L'Architecture d'Aujourd'hui*, fev 1989.

_________. "O arquiteto, o caçador, o ilusionista: casa e trajetória de vida". Cópia datilografada. Rio de Janeiro, Museu Nacional, 1988.

_________. *Casas para o povo: arquitetura moderna e habitações econômicas*. Dissertação de mestrado. Rio de Janeiro, Museu Nacional, 1987.

_________ e Dinah Guimaraens. *Morar: a casa brasileira*. Rio de Janeiro, Avenir, 1985.

_________. *Arquitetura de motéis cariocas: espaço e organização social*. Rio de Janeiro, Espaço, 1982.

________. *Arquitetura Kitsch suburbana e rural*. Rio de Janeiro, Paz e Terra, 2006, 3ed.

Charle, Christophe. *Les élites de la République*. Paris, Fayard, 1987.

Choay, Françoise. "A propos de culte et de monuments". In *Le culte moderne des monuments, son essence et sa genèse*. Paris, Seuil, 1984.

Coleman, Alice. *Utopia on Trial*. Londres, Hilary Shipman, 1985.

Comas, Carlos Eduardo. "Cassino, Casa do Baile, Yacht Club e Capela no lago da Pampulha, Belo Horizonte, Brasil, 1940/44". In http://www.vitruvius.com.br/arquitextos/arq000/esp011.asp, set 2000.

Corbusier, Le. *Maison des hommes*. Paris, Gonthier, 1942.

________. *Quand les cathedrales étaient blanches: voyage au pays des timides*. Paris, Plon, 1937.

________. *Vers une architecture*. Paris, Plon, 1923.

Costa, Lucio. *Registro de uma vivência*. São Paulo, Empresa das Artes, 1995.

________. "Pedregulho". In Reidy, Affonso Eduardo. *Affonso Eduardo Reidy*. Rio de Janeiro, Solar Grandjean de Montigny/ PUC-RJ, 1985.

________. *Arquitetura*. Rio de Janeiro, Bloch, Fename, 1980.

________. "Razões da Nova Arquitetura". In *Sobre Arquitetura*, vol.I. Porto Alegre, Centro dos Estudantes Universitários de Arquitetura, 1962.

________. "A carta de Lucio Costa sobre o affaire arquitetos x engenheiros". *Correio da Manhã*, 10 jul 1959.

________. "Muita construção, alguma arquitetura e em milagre". *Correio da Manhã*, 15 jun 1951.

Correa, Marisa. *As ilusões da liberdade: a escola de Nina Rodrigues e a antropologia no Brasil*. Tese de doutorado. São Paulo, USP, 1982.

Da Matta, Roberto. *Carnavais, malandros e heróis: para uma sociologia do dilema brasileiro*. Rio de Janeiro, Zahar, 1979.

Davidson, Jo. *Bronzes by Jo Davidson: Presidents of South American Republics*. Washington DC, National Gallery of Art, 1942.

Dudley, George. *A Workshop for Peace: Designing the United Nation Headquarters*. Boston, Boston MIT Press, 1994.

Durand, José Carlos. *Arte, prestígio e distinção*. São Paulo, Perspectiva/ USP, 1989.

Enciclopédia de Literatura Brasileira. Rio de Janeiro, Fundação de Assistência ao Estudante/ MEC, 1990.

Frampton, Kenneth. "Le Corbusier and Oscar Niemeyer: influence and counter-influence, 1929-1965". In *Latin American Architecture 1929-1960: contemporary reflections*. Nova York, The Monacelli Press, 2004.

________. *Modern Architecture: A Critical History*. Londres/ Nova York, Thames and Hudson/ Oxford University Press, 1980.

Freire-Medeiros, Bianca. *O Rio de Janeiro que Hollywood inventou*. Rio de Janeiro, Jorge Zahar, 2005.

Freyre, Gilberto. *Casa grande e senzala*. Rio de Janeiro, José Olympio, 1933.

Geneke, Gus. "From Brazil to Pretoria: the second wave of modern movement". In Fisher, Roger e Schalk Le Roux (orgs.). *Architecture of the Transvaal*. Pretoria, University of Pretoria Press, 1996.

Gallo, Alberto. "Da arte marajoara como decoração". *Revista de Arquitetura*. Rio de Janeiro, 1934.

Giedion, Siegfried, Ferdinand Léger e José Luis Sert. "Nine points on monumentality". In Ockman, 1993.

Gomes, Angela Maria de. "O trabalhador brasileiro". In Lippi et al. *Estado Novo ideologia e poder*. Rio de Janeiro, Zahar, 1982.

Goodwin, Philip. *Brazil Builds: Architecture New and Old, 1652-1942*. Nova York, Museum of Modern Art, 1943.

Gropius, Walter. "As bases sociológicas da habitação mínima para a população das cidades industriais". In *Bauhaus: novarquitetura*. São Paulo, Perspectiva, 1972a.

_________. "O arquiteto é servo ou líder?". In *Bauhaus: novarquitetura*. São Paulo, Perspectiva, 1972b.

Harris, E.D. *Le Corbusier, riscos brasileiros*. São Paulo, Nobel, 1987.

Holston, James. *The Modernist City: An Anthropological Critique of Brasilia*. Chicago, The University of Chicago Press, 1989.

Jencks, Charles. *Modern Movements in Architecture*. Nova York, Penguin, 1973.

Kopp, Anatole. *Quando o moderno não era um estilo e sim uma causa*. São Paulo, Nobel/ Edusp, 1990.

Lemos, Carlos. *Alvenaria burguesa*. São Paulo, Nobel, 1989.

Lima, Magali. *Formas arquiteturais esportivas no Estado Novo (1937-1945): suas implicações na prática de corpos e espíritos*. Rio de Janeiro, Funarte, 1979.

Lippi, Lúcia. "Os intelectuais e o poder". Cópia mimeografada. Rio de Janeiro, CPDOC/ FGV, 1986.

Lissovsky, Maurício e Paulo Sá. "Mais vale nada saber de Le Corbusier que conhecê-lo aos pedacinhos (ou: que não é o que não pode ser que não é)". *Revista Projeto*, n.102, 1987.

_________. "O novo em construção: o edifício do Ministério da Educação e Saúde e a disputa arquitetural nos anos 30". *Revista Rio de Janeiro*, n.3, 1986.

Maggie, Yvonne. *O medo do feitiço. É crime trabalhar no santo? Verdades e mentiras sobre a repressão às religiões mediúnicas*. Rio de Janeiro, IFCS/UFRJ, 1985.

Marianno Filho, José. "O incrível edifício do Ministério da Educação". In *Debates sobre estética e urbanismo*. Rio de Janeiro, 1943a.

_________. "A glória de Ouro Preto". In *Debates sobre estética e urbanismo*. Rio de Janeiro, 1943b.

_________. "À margem do Museu Histórico". In *Debates sobre estética e urbanismo*. Rio de Janeiro, 1943c.

_________. "Aumentando a confusão". *Diário de Notícias*, 7 nov 1937.

_________. "Uma vitória do bom senso". *Diário de Notícias*, 16 abr 1936.

Marinho, Teresinha. "Rodrigo e seus tempos". In *Coletânea de textos sobre artes e letras*. Rio de Janeiro, Fundação Nacional Promemória, 1986.

Maul, Carlos. *Ave Germânia*. Rio de Janeiro, s/ed., 1914.

_________. *O Rio da bela época*. Rio de Janeiro, Livraria São José, 1967.

Mello Franco, Afonso Arinos de. *Introdução à realidade brasileira*. Rio de Janeiro, s/ed., 1933.

Miceli, Sérgio. "Sphan: refrigério da cultura oficial". *Revista do Patrimônio*, n.22, 1987.

Mindlin, Henrique. *Arquitetura moderna no Brasil*. Rio de Janeiro/ Brasília, Aeroplano/ Iphan, 1999.

Monnier, Gérard. *Le Corbusier, qui suis-je?* Paris, La Manufacture, 1986.

Mumford, Lewis. "The culture of cities". In Ockman, 1993.

Muniz, Antônio Guedes. "A fábrica e a Cidade dos Motores". *Anais do Congresso Brasileiro de Indústria*. São Paulo, 1945.

Motta, Lia. "A Sphan em Ouro Preto: uma história de conceitos e critérios". *Revista do Patrimônio*, n.22, 1987.

Niemeyer, Oscar. *Minha arquitetura: 1937-2004*. Rio de Janeiro, Revan, 2004.

_________. *Meu sósia e eu*. Rio de Janeiro, Revan, 1992.

_________. "Niemeyer, suas memórias...". *Revista Módulo*, n.97, 1987a.

_________. "50 anos de arquitetura". *Revista Módulo Especial*, 1987b.

_________. "Depoimento de Oscar Niemeyer". *Revista Módulo Especial*, 1983.
_________. "O problema social na arquitetura". *AD / Arquitetura e Decoração* n.13, 1955.
_________. "Pampulha". In Xavier, 2003.
"O novo edifício da Alfândega do Rio de Janeiro". *Revista do Serviço Público*, vol.II, n.1 e 2, abr e mai 1939.
"O novo edifício do Ministério da Educação e Saúde". *Revista do Serviço Público*, vol.II, n.1 e 2, abr e mai 1939.
"O novo edifício do Ministério da Fazenda". *Revista do Serviço Público*, vol.II, n.3, jun 1940.
"O novo edifício do Ministério da Fazenda". *Revista do Serviço Público*, vol.III, n.1, jul 1938.
OCKMAN, Joan. *Architecture Culture 1943-1968: A Documentary Anthology*. Nova York, Columbia Books for Architecture/ Rizzoli, 1993.
ORTIZ, Renato. *Estado, cultura popular e identidade nacional*. São Paulo, Brasiliense, 1985.
"O Palácio da Imprensa". *Revista do Serviço Público*, vol.IV, n.1, out 1938.
"O Palácio do Trabalho". *Revista do Serviço Público*, vol.I, n.1, jan 1939.
PANOFSKY, Erwin. *Architecture gothique et pensée scolastique*. Paris, Fayard, 1967.
PERSICO, Joseph. *The Imperial Rockefeller: a biography of Nelson A. Rockefeller*. Thorndike, Thorndike Press, 1982.
PEVSNER, Nikolaus. *Os pioneiros do desenho moderno*. Lisboa, Pelicano, 1962.
PONTUAL, Roberto (org.). *Dicionário das Artes Plásticas no Brasil*. Rio de Janeiro, Civilização Brasileira, 1969.
RAMALHO, José Ricardo. *Estado patrão e luta operária; conflitos de classe na Fábrica Nacional de Motores*. Tese de doutorado. São Paulo, USP, 1986.
REED, Peter. *The United Nations in Perspective*. Nova York, Museum of Modern Art, 1995.
RUSSEL-HITCHCOCK JR., Henry. *Latin American Architecture since 1945*. Nova York, Museum of Modern Art, 1955.
SAINT, Andrew. *The Image of the Architect*. Londres, Yale University Press, 1985.
SANTOS, Paulo. "Interação do passado e presente no processo histórico da arquitetura e do urbanismo". *Arquitetura Revista*. Rio de Janeiro, FAU/UFRJ, 1986.
_________. *Quatro séculos de arquitetura*. Rio de Janeiro, IAB, 1981.
SCHWARTZMANN, Simon, Helena Bomeny e Vanda Costa. *Tempos de Capanema*. São Paulo, Paz e Terra/ Edusp, 1984.
SHARP, Dennis. *A Visual History of The Twentieth Century Architecture*. Nova York, Heinemann, Secker & Warburg, 1972.
SOUZA, Rute de (org.). *Arte no Palácio da Fazenda*. Rio de Janeiro, Museu da Fazenda Federal, 1983.
TOGNON, Marcos. "A imanência da ordem: o clássico e o tipo na obra de Marcello Piacentini". *Oculum*, n.3, mar 1993.
TOTA, Antonio Pedro. *O imperialismo sedutor: a americanização do Brasil na época da Segunda Guerra*. São Paulo, Companhia das Letras, 2000.
VILANOVA ARTIGAS, João. "Uma falsa crise". In *Caminhos da arquitetura*. São Paulo, Fundação Vilanova Artigas/Pini, 1986.
_________. *Os caminhos da arquitetura moderna*. São Paulo, Fundamentos, 1952.
WATKIN, David. *Morale et architecture aux 19ème et 20ème siècles*. Bruxelas, Pierre Mardaga, 1979.
XAVIER, Alberto. *Depoimento de uma geração: arquitetura moderna brasileira*. São Paulo, Cosac&Naif, 2003.
ZEVI, Bruno. "La registrazione veritiera di Le Corbusier". *L'Architettura, Cronacha e Storia*, n.68, 1961.

Agradecimentos

Moderno e brasileiro teve diversas etapas de execução. A sua origem principal foi minha tese de doutorado, defendida em agosto de 1993 junto ao programa de pós-graduação em antropologia social, com permanência de dois anos na Escola de Altos Estudos em Ciências Sociais, em Paris, defendida em agosto de 1993. Levei quatro anos para realizá-la e seis meses adicionais para transformá-la no livro *As preocupações do belo*, publicado e esgotado em 1995.

Ao curso daquele processo, percebi que o assunto de que tratava, a implantação do modernismo e a formação de uma linguagem brasileira, só era possível de ser apreendido caso fosse relacionado ao campo internacional e, sobretudo, às relações culturais que o Brasil desenvolveu com os Estados Unidos durante a Política da Boa Vizinhança.

Passei três anos, de 1996 a 1999, pesquisando e escrevendo sobre o assunto no Centro de Estudos Avançados em Artes Visuais (Casva) da National Gallery, em Washington DC, na Universidade Columbia, em Nova York, e no Centro Canadense de Arquitetura, em Montreal. Além dos oito meses de permanência nessas instituições, passei o resto daqueles anos escrevendo ensaios e artigos sobre o assunto.

Percebi, ainda, que para cobrir convenientemente o tema da formação de uma linguagem nacional três outros assuntos tinham de ser aprofundados: o estabelecimento de teoria, discurso e prática sobre a habitação popular; a elaboração do conjunto da Pampulha; e a elaboração e construção de Brasília. No Brasil, continuei as pesquisas como professor da Escola Superior de Desenho Industrial (Esdi) da Universidade do Estado do Rio de Janeiro (Uerj) e no pós-doutorado no Programa Avançado de Cultura Contemporânea da Faculdade de Comunicação da Universidade Federal do Rio de Janeiro (UFRJ).

Devo muito, nesse longo percurso, a várias entidades e pessoas:

A Capes me forneceu a bolsa durante os créditos de doutorado e possibilitou o meu estágio, de 1989 a 1990, no Centro de Sociologia de Educação e Cultura da Escola de Altos Estudos em Ciências Sociais, em Paris.

Meu orientador, José Sérgio Leite Lopes, assim como Afrânio Garcia Jr., seguiu-me nas várias fases do processo. Discutiram o trabalho, oferecendo preciosas sugestões, os professores Pierre Bourdieu e Monique de Saint Martin, meus orientadores, assim como foram úteis as conversas com Francine Muel Dreyfus, Christian Topalov e Jean-Claude Combessie. Na primeira fase do trabalho, tive como interlocutores brasileiros atentos Italo Campofiorito, Yvonne Maggie, Heloisa Buarque de Hollanda, Lygia Sigaud e Carlos Nelson Ferreira dos Santos.

No ano de 1996, uma bolsa da Associação para Pesquisas em Arte (Ariah) permitiu minha permanência no Casva/National Gallery e no Buell Centre da Universidade Columbia, além de temporadas de pesquisa na Biblioteca do Congresso, no Getty Centre, nos arquivos Rockefeller, nos arquivos do Museu de Arte Moderna de Nova York (Moma) e na biblioteca e nos arquivos do Centro Canadense de Arquitetura (CCA). Em 1998, na abertura do programa de bolsas de residência do CCA, fui selecionado para o grupo que inaugurou o centro de estudos.

Devo muito, nessa fase norte-americana do trabalho, às instituições citadas no parágrafo anterior e às seguintes pessoas que ali trabalhavam: Therese O'Malley, Henry A. Millon, William Conkley, Gwendolyn Wright, Joan Ockman, Terence Riley, Peter Reed, Jay Levenson, Phyllis Lambert, Réjean Légault e Nicholas Olsberg. Foram preciosas as conversas com Max Abramovitz, George Dudley, Kenneth Frampton, Berta Rudofsky, Carol McReese, G.E. Kidder-Smith, Victoria Newhouse, John Githens e Ingeborg Ten Haeff.

No âmbito do Iphan/Minc e da Uerj, muito devo ao encorajamento e apoio de Glauco Campello, Octavio Elisio Alves de Brito, Alayde Mariani, Lucia de Meira Lima, Vera Adami, Licia Olivieri, André Lázaro, Maria Claudia Coelho, Gabriel Patrocínio e Guilherme Cunha Lima. Na Associação de Amigos do Paço, Kati Almeida Braga foi uma constante incentivadora do projeto.

Lucio Costa, Alcides da Rocha Miranda, Oscar Niemeyer e Wladimir Alves de Souza receberam-me várias vezes, respondendo com paciência às minhas perguntas. Anna Maria Niemeyer e Maria Elisa Costa auxiliaram-me em dúvidas sobre fatos e pessoas.

Jorge Bastos estabeleceu uma estimulante parceria na primeira transformação da tese para publicação. Rita Jobim desempenhou com igual competência a função de editora nesta edição. Felipe Ferreira assistiu-me na pesquisa e coleta de imagens.

Silvia Gandelman e Ana Luisa Chafir, minhas agentes, deram todo o encorajamento e apoio ao projeto deste novo livro.

Índice Onomástico

Nas páginas em itálico, consultar também as notas de rodapé; as remissões em negrito referem-se a páginas com imagens.

Adolfo Morales de Los Rios Filho, 34
Afonso Arinos de Mello Franco, 39, 110
Affonso Eduardo Reidy, 12, 38, 42, 56, 63, 71, 76, 87, 109, 137, 138, 140, 141, 167, 229, 234, 237
Afrânio Coutinho, 158
Agamenon Magalhães, 87, 88, 109, 234
Alice Faye, 161
Alberto de Santos Dumont, 30
Alberto Moravia, 217
Albino dos Santos Froufe, 65, 67, 68, 69
Alcides da Rocha Miranda, 42, 76, 87, *109*, 120, 244
Aleijadinho, *109*, 184
Alexander Calder, *149*
Alfred Barr Jr., 165, 166
Alfred Donat Agache, **9**, 12, 20, *46*, 148, 233
Aloisio Magalhães, 99
Alvar Aalto, 185
Álvaro Siza, *171*, 232
Alzira Vargas, 158
André Fouilloux, 174
André Sive, 208
Anita Niemeyer, *176*
Anna Maria Niemeyer, *176*, 244
Ângelo Bruhns, 44
Ângelo Nurgel, 78
Anisio Teixeira, 103
Antônio de Almeida, 87
Archimedes Memória, 21, 31, 35, **36**, 38, 39, 41, 43, 63, 76, 97, 229, 234
Argeu Guimarães, 104
Aristides de F. Figueiredo, 65, 66, 68
Aristides Guilhem, **151**
Armando de Oliveira, 31
Armando Vidal, 177
Arno Kikoler, *149*
Artur de Souza Costa, **17**, 65
Arthur Rubinstein, 166
Ary Fontoura de Azambuja, 76, *76*, 77, 78, 79, 82
Attilio Corrêa Lima, 77, *78*, *109*, 135, 136
August Zamoiski, 202, **203**
Auguste Perret, 149, **151**
Aurora Miranda, 161

Bando da Lua, 184
Benedito Valadares, 110, 113, 198
Bernard Rudofsky, 167
Berta Rudofsky 244
Bette Davis, 160
Bianchi, 21
Bill Krohn, *163*
Braque, 228
Brecheret, 52
Bruno Giorgi, 57
Bruno Zevi, 204, 216
C. San Juan, 31
Camargo Guarnieri, 158
Cândido Portinari, 57, **61**, **142**, 166, 177, **179**, 199, 230
Carlos de Andrade Ramos, 86
Carlos Drummond de Andrade, 39, 44, 49, **54**, 56, 98, 103, 105, 110, 111, 112, 113, *113*, *130*
Carlos Eduardo Comas, 198
Carlos Lacerda, 235
Carlos Leão, 12, 40, 41, 42, 47, 71, 109, *109*, 110, **116**, **117**, 120, 231, 234, 235
Carlos Maul, 104, 105, 149
Carlos Porto, 67, 69
Carmen Miranda, 160, 167, 184
Carmen Portinho, 38, 56, 140, 141
Celso Antônio, **50**, 51, 52, 57, **59**, 177
Claude Ferret, *171*, 232
Cornelius J. Sullivan, Mr., 165
Correia de Araújo, 49
Christian de Portzamparc, 232

D. João VI, 79, 102
D. Pedro I, 79
D. Pedro II, 79
Diego Rivera, *166*
Dolores del Rio, 162
Domingos da Silva Cunha, 41, 44
Don Ameche, 161
Douglas Fairbanks Jr., 160
Dulphe Pinheiro Machado, 187
Dunshee de Abranches, 149
Duque de Caxias, 79

Edgard de Mello, 87
Edgard Fonseca, 76
Eduardo Souza Aguiar, 34
Edward Stone, 165
Elsie Houston, 166
Enéas Silva, 66, 68, 69, 70, *70*, 71, 103, 235
Epaminondas, *149*
Epitácio Pessoa, 175
Eric Hesse, *149*, 150
Érico Veríssimo, 157
Ernani Vasconcelos, 12 (2 l), 38, 42, *42*, 126 (2l), 234
Ernest Cormier, 189
Errol Flynn, 160
Erwin von Dessauer, *149*
Eugen Szenkar, 167
Evaristo de Morais, 86

F. Cuchet, 21, 31
Ferdinand Léger, 136, 209
Fernando Valentim, 31
Firmino Saldanha, 67, 69, 78,
Flávio de Carvalho Lemgruber, 87, 147, *147*
Flexa Ribeiro, 63
Floderer, 21
Francisca Dumont, 30
Francisco Mignone, 158
Frank Lloyd Wright, 42, **151**, *174*, 229, 233
Franklin. D. Roosevelt, 157, 158, 160, 174, 177

Fred Astaire, 160
Frédéric Lê Play, *124*
Frederico de Moraes, 120

G.E. Kidder-Smith, 58, 167, *167*, 168, 236, 244
Genevieve Naylor, 150, **156**
George Dudley, *189*, 244
George Gallup, 157,
George O'Brien, 160
George Washington, 175
Gérson Pinheiro, **36**, 38, 39, 234
Gerson Pompeu de Sousa, 234
Getúlio Vargas, **11**, 22, **29**, 33, *41*, 43, 45, 58, **59**, 65, 78, 79, 83, 85, 86, 87, 88, **89**, 94, **101**, 106, **151**, 158, **159**, 160, 162 (avenida), 184, 198, 233, 234, 236, 237
Gilberto Freyre, 14, 39, 105, 109, 130, *130*, 184, 233
Graciliano Ramos, 49
Grandjean de Montigny, 65
Gregor Paulsson, 209
Gregori Warchavchik, 43, *114*, 133, **133**, 147, **151**, 233
Gustave Brunfaut, 189
Gustavo Dodt Barroso, 76, 98, 99, 100, **101**, 104, 105, 149
Gustavo Capanema, 17, 33, 34, 38, **54**, **59**, 79, 97, 98, 99, **101**, 103, 110, 113, 148, 149, **151**, 234
Gyle Souilleux, 189

Heitor de Faria, 98
Heitor de Mello, 21, 39, 229
Heitor Villa-Lobos, 34, 34, 158, 166
Helena Costa, *176*
Henrique Cintra, 78
Henrique Dumont, 30
Henrique Mindlin, 145, 167, 202
Henry Dreyfuss, 174
Henry Fonda, 160
Henry Russel-Hitchcock Jr., 185, 191, 209
Hildegardo Leão Velloso, 78, 184
Hilton Jésus Gadret, 65, 69
Howard Robertson, 189, *189*
Humberto Cozzo, 77, 78, **81**, 230

Ingeborg Ten Haeff, 140, *149*, 167, *177*,
Israel Pinheiro, 208

J. Edgard Hoover, *177*
Jacaré, 163
Jacob Tchernikhov, 174
Jacques Lipchitz, **33**, 57, **165**
Jayme de Araújo, 86
Jefferson Caffery, 160
Jean Edouard Spenlé, 100
Jean Manzon, *149*
Jean-Paul Sartre, 217
Jo Davidson, 158, **159**
João Arnstein, 167
João Malheiros dos Santos, 40
Joaquim Cardoso, 39, 105, 110
Joaquim Pimenta, 86
John D. Rockfeller, Mrs, 165, 188
John Hay Whitney, 160
John Githens, *149*, 244
Jorge Moreira, 12, 38, 41, 42, *42*, 44, 66, 68, 69, 71, 76, 234, 235
Jorge Street, 86
José Belens de Almeida, 65
José de Souza Reis, 12, 66, 68, 109, *109*, 111, 112, *113*, 120, 235
José Luis Sert, 135, *135*, 136, **143**, 209
José Marianno, 20, 48, 62, 76, 77, 102, 103, 104, *110*, 175
José Marianno (Filho), 30, 78
Josef Targowski, 100
Joseph Persico, *150*
Judith Martins, 109
Julieta Costa, *176*
Julio Vilamajo, 189
Juscelino Kubitschek, 120, 197, *197*, 198, 207, 208, 212, 217, 222, 235, 236, 237

Kenneth Frampton, *171*, 200, 216, 232, 244
Kopp, 231

Lafayette, 175
Lauro Cavalcanti, *43*, *167*, 168, *189*, 191, 247
Le Corbusier, 9, 12, **37**, 42, 43, 44, 45, 46, *46*, 47, *47*, 48, 51, 56, 57, 62, 63, 69, 97, 103, *114*, 124, 125, 134, 135, 138, 141, 148, 184, 185, 187, 188, 189, 190, *190*, 191, *191*, 205, 201, 211, 216, 228, 229, 231, 232, 233, 234
Leni Riefenstahl, 150
Leopold Stokowski, 158
Lewis Munford, 174, *174*, 209
Liang Ssu-ch'heng, 189
Lillie P. Blis, Ms., 165
Lindolfo Collor, 85, 86
Louis Armstrong, 162
Louis Kahn, 209
Louis Skidmore, 175
Lourival Fontes, 158, 160, 161
Lucio Costa, 7, 12, 13, 15, 16, 21, 31, 40, *40*, 41, 42, 43, *43*, 44, 47, 48, 49, 52, 56, 57, 58, **60**, 63, 87, 97, 99, 102, 103, 105, 106, 109, *109*, 111, 112, 113, *114*, **118**, **119**, 120, 125, 126, *130*, 133, **133**, 134, 135, **147**, 148, **151**, 165, 167, *167*, 176, 177, 185, 195, 199, 205, 208, 209, 211, 212, **214**, 216, 220, 226, 227, 228, 232, 232, 233, 234, 235, 237, 244
Luiz Eduardo Frias de Moura, 76, *76*, 82
Luiz Paulo Flores, 76
Luiz Vilela, 76
Lutero Vargas, 149, 167, *177*
Luz del Fuego, 57

Machado de Assis, 184
Magno de Carvalho, 65, 66, 67, 68, 69
Manuel Bandeira, 39, 57, 105, 110, 184, 216
Marcel Breuer, 148
Marcel Duchamps, *149*
Marcel Gautherot, 184
Marcelo Roberto, 168
Marcello Piacentini, 12, 45, 78, 147, 148, 228, 234, 235
Maria Elisa Costa, *114*, *176*, 244
Mário de Andrade, 7, 39, 44, 49, 52, 95, 97, 99, 103, 105, 109, 130, *130*, 234, 236
Mário Pedrosa, 63
Mário Santos Maia, 21, 86, 87, *87*, 93, 234
Matisse, 228
Maurício Nabuco, 41, 44
Max Abramovitz, *189*, 190, 191, *191*, 244
Max Bill, 141, 204, 232
Mies van der Rohe, 49, 57, 148,204
Milton Roberto, 168
Mina Klabin, 20, 147
Monteiro de Carvalho, 46, *46*,
Morales de Los Rios, 35, 38, 39, 229
Mussolini, 93, 100, 228
Myron Meisel, *163*

Natal Palladini, 34, 38, 39
Nathaniel Owings, 175
Nelson Aldrich Rockefeller, 150, **151**, 157, 161, 165, 166, *166*,

Nestor Figueiredo, 31
Nina Rodrigues, 14, 104, 130
Nikolai Bassov, 187, 189
Norman Foster, 232
Norman Guedes, 173, *173*

Olavo Redig de Campos, 42
Oliveira Vianna, 33, 51
Oreste Fabbri, 77
Orson Welles, 160, 161, 162, 163, *163*, 167
Oscar Niemeyer, 12, 14, 15, *42*, 46, *46*, 47, 48, 49, 56, 58, **60**, 66, 68, 69, 71, 76, 98, 103, 106, 109, *109*, 111, 112, 113, 114, 115, **117**, **118**, **119**, 120, 126, *130*, 135, **147**, 148, 157, 165, 167, 168, 176, 177, 185, 187, 189, 190, 191, *191*, **193**, 194, 195, 197, *197*, 198, 199, 200, 202, **203**, 204, 205, 207, 208, 216, 217, 226, 229, 231, 232, 234, 235, 236, 237, 244, 247
Oswald de Andrade, 49, *130*
Oswaldo Teixeira, 77, 78, 104
Otacílio Negrão de Lima, 198

Paul Chemetov, *171*
Paul Lester Wiener, 135, 136, **143**, *149*, 177, *177*, 184
Paul Stille, *149*
Paulo Camargo de Almeida, 63, 67, 69
Paulo Fragoso, 65, 68, 69
Paulo F. Santos, 7
Paulo Pires, 78
Paulo Thedim Barreto, 109, *109*, 112
Paulo Werneck, **81**, 82, 199
Pedro Ernesto, 103
Peter Lange, *149*, 150
Picasso, 228
Pierre Jeanneret, 188
Philip Goodwin, 58, 165, **165**, 167, 168, 170, 236
Philip Johnson, *149*, *170*
Plínio de Catanhede Almeida, 87
Plínio Salgado, 235
Promemória, 16, 99, 240
Prudente de Morais Neto, 39, 110, *130*
Pucci, 21

Rafael Galvão, 35, **36**, 38, 39, 67, 68, 69, 70, 234, 235
Ram Koolhass, 232
Ramos de Azevedo, 21, 30
Renato Soeiro, 109, *109*, 111, 113, 120
Ricardo Antunes, 78
Ricardo Severo, 30
Richard Wilson, *163*
Riedlinger, 21
Rino Levi, 147, 208
Robert Prentice, 21
Roberto Burle Marx, 57, 167, 202, 204
Rocha Pombo, 184
Rocha Vaz, 51
Rodrigo Melo Franco de Andrade, 39, 106, 109, 110, 111, 112, 113, 120, 129, 167, 235
Rogério Sganzerla, *163*
Roquete Pinto, 51, **54**,

Salgado Filho, 86
Salvador Duque Estrada Batalha, 34, 35, 104
Saturnino de Britto, 41, 44
Sérgio Bernardes, 63
Sérgio Buarque de Hollanda, 105, 129, *130*, 157, 243
Siegfried Giedion, 136, 145, 209
Simon Bolívar, 175
Stefan Zweig, 167
Sven Markelius, 185, 189, 190
Tobias Barreto, 104
Trygvie Lie, 188
Tupy Brack, 67, 69

Valdemar Falcão, 88
Victor Dubugras, 30, 62, 174
Vilanova Artigas, 121, 126, 204
Vinícius de Morais, *39*, *113*, 120

Wallace Harrison, 157, 161, 174, 175, 185, 188, 189, 191
Walter Burle Marx, 166, 167
Walter Gropius, 42, 143, 124, 148, 191, 204, 229, 232
Washington de Araújo Dias, 110, 113
Washington Luís, 30, 85
Washington Pires, 98
William de Kooning, *149*
William Holford, 208, 209
William Pasley, 158
William Zeckendorf, 188
Wladimir Alves de Souza, 62, 63, 66, 68, 231, 235, 244

Yves Bruand, 217

Zaha Hadid, 232

Sobre o Autor

Lauro Cavalcanti nasceu no Rio de Janeiro, em 1954. É arquiteto, antropólogo e autor de vários livros sobre arquitetura, estética e sociedade, entre os quais *Arquitetura kitsch* (1979), *Arquitetura de motéis cariocas* (1982), *Preocupações do belo* (1995), *Quando o Brasil era moderno* (2001) e *Ainda moderno* (2005). É organizador das coletâneas *Modernistas na repartição* (1993), *Caminhos do contemporâneo* (2002) e *Tudo é Brasil* (2004).

Atuou como pesquisador-visitante na National Gallery, em Washington DC, na Universidade Columbia, em Nova York, e no Centro Canadense de Arquitetura, em Montreal.

É conselheiro da Casa Lucio Costa e da Fundação Oscar Niemeyer, e membro do conselho editorial do Iphan. É também professor da Escola Superior de Desenho Industrial (Esdi) da Uerj e, desde 1992, diretor do Paço Imperial.